Kocham Paula McCartneya

Joanna Szczepkowska

Kocham Paula McCartneya

Cytaty z piosenek zespołu „The Beatles":
Hey Bulldog Lennon/McCartney; *Strawberry Fields Forever* John Lennon;
Rock and Roll Music Chuck Berry; *Yesterday* Paul McCartney;
Lucy in the Sky with Diamonds John Lennon; *Yellow Submarine* Lennon/McCartney;
She Loves You Lennon/McCartney; *Fixing a Hole* Paul McCartney;
Eleanor Rigby Lennon/McCartney; *When I'm Sixty-Four* Paul McCartney;
With a Little Help from My Friends Lennon/McCartney; *Hey Jude* Paul McCartney

Redaktor prowadzący
Katarzyna Krawczyk

Redakcja techniczna
Lidia Lamparska

Korekta
Krystyna Śliwa
Elżbieta Jaroszuk

Świat Książki
Warszawa 2008
Bertelsmann Media sp. z o.o.
ul. Rosoła 10, 02-786 Warszawa

Skład i łamanie
Joanna Gondowicz

Druk i oprawa
GGP Media GmbH, Pössneck

ISBN 978-83-247-1157-4
Nr 6451

Child-like
No one understands,
Jack knife
In your sweaty hands,
Some kind of happiness is measured out in miles
What makes you think you're something special
when you smile

Mój starszy brat Cygan urodził się na podwórku, późnym popołudniem, jesienią, w 1965 roku. Siedziałam wtedy na deskach piaskownicy. Było tak beznadziejnie, tak nijako, tak pusto, że coś wreszcie musiało się wydarzyć. I wtedy właśnie urodził się mój brat. Zielonooki chłopak w prochowcu. Pilot lotnictwa podziemnego. Nadzieja i postrach dzielnicy.

Gertrudzie w Zagranicznych Rajstopach, która przypomniała mi brata Cygana, poświęcam tę książkę.

Cisza starych podwórek jest taka trochę kościelna. Właściwie tylko mury dookoła, a jakby ktoś cały czas patrzył. I wszystko słychać – ktoś kaszlnie, coś skrzypnie, ktoś trzaśnie drzwiami, niby nic, ale tak to się jakoś odbija od murów, tak się zwielokrotnia, jakby chodziło o coś więcej niż codzienne życie.

Pamiętasz? Ciszę podwórek, pamiętasz? Chude gołębie o przerażonych oczach? A... nieustanny warkot, jakby ktoś wiercił dziurę w ziemi? Daleki, stłumiony, od świtu do wieczora ten sam terkot, nie wiadomo skąd, może z innej dzielnicy, z dachu, może z piwnicy, szum, który towarzyszył dzieciństwu? Mojemu dzieciństwu?

Ty nigdy nie byłeś dzieckiem. Starsi bracia nie mają dzieciństwa.

PIERWSZY WSTĘP DO TEJ HISTORII

– ...Krzesło? Na skale? Na wysokiej, niedostępnej, zbryzganej falami oceanu, spiczastej jak sopel lodu, ponurej skale? Krzesło?

Nawet kiedy znikał w chmurach, kiedy została po nim tylko wąska biała smużka, to jeszcze ani żona, ani przyjaciele, ani pani Helenka, ani wydawca, ani pracownicy instytutu, ani znajomi i sąsiedzi, nikt ze zgromadzonych na tarasie lotniska nie dowierzał, że w samolocie naprawdę siedzi Adam Pasek, pisarz i historyk, od dzisiejszego ranka obrażony śmiertelnie na swój kraj. I za co? Żona jeszcze trzyma w ręku gazetę, w której jest jego wypowiedź na temat architektury Warszawy. Zamieszczno ją, no tak, zamieszczono obok wypowiedzi Kostka Żurka, członka zespołu Rękaw Wariata. Owszem, jest tam zdjęcie Adama Paska obok zdjęcia Kostka Żurka. Owszem, szlachetna twarz profesora Paska wygląda dziwnie obok twarzy Kostka Żurka. No i co takiego się stało? Nic! Nic! Nic! Przecież w gruncie rzeczy powiedzieli to samo. Tak, tak, tak, wypowiedź Kostka Żurka nie była idealnie sformułowana, tak, tak, tak, język Kostka Żurka rzeczywiście jest żenujący, ale przecież obaj powiedzieli to samo! Chwalili miasto o bogatej i dramatycznej historii, miasto, które stoi na cmentarzu, miasto-pomnik, i wyrażali obawy co do jego przyszłości. Ale tego oczywiście nie można było powiedzieć Adamowi Paskowi! Cały dzień pisał miażdżący list do redakcji o śmiertelnym zagrożeniu fałszywie pojętej demokracji, która, „Szanowny Redaktorze, nie objawia się równaniem w dół i dopuszczaniem do głosu wszystkich, którzy chcą mówić. Słowo ma znaczenie, jeśli stoi za nim głęboka wiedza, dlatego też co innego znaczy słowo «Warszawa» w ustach rockowego pieśniarza, a co innego w ustach pisarza i historyka..." – i tak dalej i dalej aż do rana, kiedy to okazało się, że listu tego w ogóle nie wydrukowano. Walizka wylądowała na środku pokoju tuż po godzinie dziesiątej, taksówka przyjechała godzinę później, a o czternastej naszego czasu profesor Pasek znikł w chmurach polskiego nieba.

Krzesło na skale. Tego pani Alicja Pasek bała się najbardziej. Determinacja, z jaką jej mąż się pakował, mogła oznaczać, że chce zrobić to, co dotąd wydawało się niewykonalne. Już przed ślubem opowiadał jej o natrętnym obrazie, który powraca w snach, i nie tylko, od wczesnej młodości, czasem w najmniej odpowiednich momentach. Otóż płynie łodzią podwodną, żeglując w stronę słońca, i nagle łódź unosi się na wysokość stromej skały, mokrej od fal oceanu. Na skale tej stoi krzesło. Profesor siada tam i pije wino. Wielokrotnie roztrząsali przyczynę tego natręctwa, a żona profesora podejrzewała, że są to skutki pewnej prywatki z młodości, na której profesor dał się skusić na lekki „odlocik" i spróbował czegoś, co mu podali w zwitku gazety. Natomiast psychoanalityk nie miał wielkich trudności, żeby odnaleźć inny klucz. Profesor jest Polakiem. Podwodną łódź należy rozumieć jako wszechobecne w polskiej historii podziemie. Profesor zawsze chciał być wybitnym pisarzem. Wybitni ludzie są na ogół samotni – stąd odosobnienie. Wybitni polscy pisarze kojarzą się na ogół z emigracją. Tak. Profesor Pasek najbardziej chciałby być pisarzem emigracyjnym, stąd marzenie o krajobrazie całkowicie wyobcowanym. Pech chciał, że w obecnej sytuacji politycznej nie miał najmniejszego prawa do emigracji. A wino? Emigracyjni pisarze nie byli, a w każdym razie nie powinni być szczęśliwi. Samotne popijanie wina w obcym kraju to oczywiście tęsknota za ojczyzną. I teraz, kiedy zdjęcie Kostka Żurka z Rękawa Wariata pojawiło się obok zdjęcia profesora, był to dostateczny powód, żeby emigrować, i to tam, gdzie będzie mógł postawić krzesło na skale.

– Można wiedzieć, jak chcesz tego dokonać? – Żona wstawiła stopę w drzwi.

– Z niewielką pomocą przyjaciół. – Takie były ostatnie słowa profesora, i w zasadzie dotąd nie wiadomo, o jakich przyjaciołach mówił i jak doszło do tego, że następnego dnia świtem postawił krzesło na stromej skale u wybrzeża Ameryki.

Żona miała podejrzenia co do miejsca, w którym mogłoby dojść do incydentu. Pani Pasek nawiązała kontakt z naszą ekipą, która właśnie fotografowała exodus fok schodzących ze skał u wybrzeża Ameryki. Znalazła mnie dzięki telewizji, ponieważ zwierzyła się z nieszczęścia producentowi programu, do którego zapraszano jej męża jako eksperta.

Stałam z Michelem na urwisku, słońce padało na lśniące futra fok, kiedy zadzwonił telefon i producent oznajmił, że da królestwo za znalezienie Adama Paska, który prawdopodobnie siedzi na krześle kilkaset metrów nad oceanem, całkiem niedaleko nas. Komórki nie odbiera, ale może, jeśli nie pozna numeru... Podyktował mi telefon, zadzwoniłam od razu.

– Słucham – odezwał się ponury głos, niezbyt wyraźny, jakby ze studni.

– Czy mówię z profesorem Paskiem?

– Tak. Słucham.

– Proszę pana... jestem polską dziennikarką. Fotografujemy urwiska, a pan podobno jest właśnie...

– Tak. Jestem na skale. Siedzę i piję wino.

– Aha. To świetnie. A czy mogłabym pana odwiedzić?

– Nie udzielam wywiadów. Poza tym nie dostanie się tu pani. Nawet helikopter miał trudności.

– Wspinałam się już na niejedną skałę, proszę mi dać szansę. Zakładam się z panem, że dojdę tam na własnych nogach.

– Przyjmuję zakład – odpowiedział zadziwiająco chętnie i dość precyzyjnie określił miejsce pobytu.

Szukanie zajęło nam jakieś dwie godziny, moja wspinaczka (to wcale nie było takie trudne) około godziny, tak więc już szarzało, kiedy stanęłam w chmurach naprzeciwko zziębniętego Adama Paska.

– Uprzedzałem, że nie udzielam wywiadów.

– Jasne. Chciałam tylko przekonać pana do powrotu. Jest pan potrzebny krajowi.

– Może. Ale kraj nie jest już potrzebny mnie. – Wypił maleńki łyk wina z kieliszka, który prawdopodobnie trzymał już w ręku, schodząc z drabinki helikoptera (że mnie przy tym nie było!).

– Ma pan zamiar tu zostać?

– Nie. Mam zamiar tutaj posiedzieć.

– Mogę tylko zapytać: dlaczego tutaj?

– Ponieważ od sześćdziesięciu czterech lat żyję z obrazem krzesła na skale, gdzie siedzę i popijam wino. Człowiek nie jest wieczny, więc postanowiłem znaleźć się w sytuacji, która być może ma głębsze znaczenie. Nie dowiem się, póki nie spróbuję.

– Rozumiem. Mnie na przykład też prześladuje pewien obraz (nie przypuszczałam, że zwierzę się z tego komukolwiek). Jestem ubrana w dziwne szmaty, trzymam na ręku dziwną lalkę i wchodzę po dziwnych schodach pomalowanych na różne kolory. Czy uważa pan, że powinnam doprowadzić do takiej sytuacji? Nie myśli pan, że dziwne wytwory wyobraźni...

– Dziwne? – zapytał Pasek. – Naprawdę widzi pani w tym coś dziwnego? Ja nic. Jeżeli dziwny człowiek idzie po dziwnych schodach, to nie ma w tym nic dziwnego. Dziwnie jest tylko wtedy, kiedy dziwny człowiek idzie po zwykłych schodach albo zwykły człowiek idzie po dziwnych schodach. Natomiast jeśli dziwny człowiek idzie po dziwnych schodach, to znaczy, że znajdujemy się w dziwnym świecie. A w dziwnym świecie dziwne są tylko rzeczy zwykłe.

Schodzenie ze skały zajęło mi znacznie mniej czasu – tak to już jest. Michel czekał z gorącą czekoladą, a kiedy odjeżdżaliśmy, już nadlatywał helikopter.
– Niestety, gęsta mgła nie pozwoliła nam zobaczyć, jak profesor Pasek z pustym kieliszkiem w ręku wspina się po sznurowej drabince, a potem znika w czeluści...

DRUGI WSTĘP DO TEJ HISTORII

...Niezależnie od tego, czy cała ta sytuacja jest prawdziwa, czy raczej należy do porannych snów, jakie miewałam w czasie podróży, za chwilę utopi się we mgle. Tylko ocean jest potrzebny. Woda. Jak najwięcej żywej, nieprzewidywalnej wody potrzeba, żeby to opowiadanie miało odpowiedni grunt. Profesor Pasek jak ja potrzebuje oceanu - po prostu ocean urodził się w nim.

Nie ma tu nic szczególnego poza tym, że ocean burzy się i uspokaja. Jak historia, którą opowiem. Ocean bawi się wszystkim, cokolwiek należało, a już nie należy do życia. Wszystko, czy to wenecka maska, czy kredens, może być zabawką oceanu. Ta historia też. Ocean wariuje, histeryzuje, jest nieobliczalnym kiczem, wymiotuje, straszy, udaje potwora, a tak naprawdę jest tylko wodą. Ta historia też. Ocean pod spodem jest nudny, potulny, śpiący i ociężały. Ta historia też. Czasem ocean jest dziecinną zabawką, czasem jest prawdziwy jak śmierć. Jak ta historia. Ocean kończy się drobniutkimi falami jak oddech dziecka. Ta historia też. To wszystko zresztą nie ma znaczenia, bo przecież i tak przyjdzie noc.

Na oceanie bujają się tylko niektóre przedmioty, okaleczone, bez przyszłości. Wszystko otacza mgła. Cokolwiek by się zdarzyło, jest daleko, za mgłą. I tak do następnego sztormu.

Zanim to wszystko się zaczęło, w moim białym apartamencie na czternastym piętrze tęskniłam za warkotem świdrów i wiertarek, za nieustannym trzęsieniem ziemi pod stopami. Z mojego okna widać było tylko las słynnych czarnych wieżowców, które otacza luksusowa cisza. Zanim wszystko się zaczęło, przyfrunęły tu dwa tłuste gołębie i zadzwonił telefon. Wtedy jeszcze były tu moje białe meble, lustro na całą ścianę, a nad biurkiem wisiała wielka fotografia „mojej twarzy" z podpisem „I Nagroda World Press Photo". Wtedy jeszcze nie było tu pozaklejanych taśmami pudeł, śladów po butach pracowników firmy przeprowadzkowej, wtedy jeszcze stał tutaj stary, czarny telefon, milczący od lat jak teatralny rekwizyt. Kiedy zadzwonił, nie mogłam zrozumieć, skąd pochodzi ten dźwięk - od dawna używam tylko komórki i nawet nie wiem, czy ktoś pamięta mój domowy numer.

W słuchawce były tylko szumy i trzaski, jakby aparat zawisł między gwiazdami. Dopiero po chwili ktoś puścił piosenkę Beatlesów *Strawberry Fields Forever*. Zastygłam ze słuchawką przy uchu, na Truskawkowych Polach, pośrodku dziecinnego pokoju.

Let me take you down,
'cos I'm going to Strawberry fields.
Nothing is real, and nothing to get hung about.

Strawberry Fields Forever nie nadaje się do tańczenia. Beatlesi śpiewają to zbyt artystycznie, z melancholijnym zaśpiewem, ale to nie ma znaczenia, kiedy nie umie się tańczyć, kiedy taniec to po prostu kołysanie się w miejscu. Paul McCartney oczywiście umie tańczyć, ale jest zmęczony. Po koncercie, po walce z histerycznym tłumem nastolatek, po złożeniu setek podpisów na fruwających karteczkach miło mu, że wystarczy mnie kołysać, trzymając delikatnie za rękę. Jako najrozsądniejszy z zespołu zerka czasem na pozostałych chłopaków, czy przypadkiem nie robią głupstw, ale oni też padają ze zmęczenia. Może tylko Ringo, rozgrzany od perkusji, jak zawsze niespokojny - mój pokój jest za ciasny na jego temperament. Rozgląda się po ścianach, na których wiszą zdjęcia zespołu The Beatles. Na tych zdjęciach Ringo stoi zwykle między Paulem a George'em, daleko od Johna, którego po prostu się boi. John jest tak strasznie serio, ma takie poczucie posłannictwa, ponury niepokój, który śmieszy Ringo Starra. Oczywiście można nazwać to kompleksami. Kiedyś powiedziałam, podając mu kanapkę z salcesonem:

- Ty, Ringo, jesteś po prostu głupszy od Johna i pokrywasz to kpiną.

Po koncercie z żadnym z nich nie ma o czym rozmawiać, zwłaszcza w moim pokoju, gdzie

George czyta książkę, wciśnięty między półki, a Lennon patrzy ponuro na Paula, kiedy tańczymy *Strawberry Fields Forever*. Ja umiem tylko dwa na dwa. Dwa kroki w prawo, stop, dwa kroki w lewo, stop. Kręcimy się wolno w rytmie *Strawberry Fields Forever* pośród ścian ze zdjęciami The Beatles, przy oknie, za którym widać okna innego domu. W którymś z nich z wyciągniętymi rękami stał kiedyś ktoś i patrzył na dziewczynkę, która każdego wieczoru kręci się sama po pokoju.

Potem ktoś jeszcze długo trzymał słuchawkę, czekając, aż się rozłączę. Chciałam wrócić do pracy, na ekranie laptopa wciąż świecił niedokończony tekst, ale po raz pierwszy od wielu lat otoczyła mnie mgła i znalazłam się na wyspie Tajtaio.

Pamiętasz wyspę Tajtaio?

Wygląda jak szklana weranda. Na Tajtaio nie ma teraźniejszości. Jest się tylko kimś przedtem albo kimś potem. Jak na fotografii tańczącej kobiety, kiedy jej spódnica jest kilkoma spódnicami, rozbita na kilka chwil z życia spódnicy. Pamiętasz Tajtaio? Niezwykle poręczna wyspa: można tam mieszkać, siedząc w więzieniu, leżąc w szpitalu albo w namiocie jako spętany sznurami zakładnik. Zdarzenia przeszłe i przyszłe występują w dowolnym porządku i niezależnie od faktów.

TRZECI WSTĘP DO TEJ HISTORII

To chyba była środa. Zresztą zwykle, kiedy pytam o dzień tygodnia, odpowiadają mi, że jest środa, więc pewnie właśnie była środa, kiedy na mojej drodze stanął Człowiek o Kwitnących Kulach. Był typowym bezdomnym, miał nieogoloną, szarą twarz i zmęczone oczy, ale opierał się na dwóch kijach, z których wyrastały liście.

– Bardzo panią przepraszam, czy może dysponuje pani kilkoma groszami, byłbym wdzięczny za wsparcie – powiedział.

Niestety, nie miałam nawet grosza, ale zapytałam:

– A pan... pan kim jest właściwie?

– Matematykiem. Pracowałem w instytucie. A pani? Kim pani jest?

– Nie wiem – odpowiedziałam zgodnie z prawdą.

Oczywiście, że miał prawo zapytać.

Kim jestem? Jestem siostrą Cygana. Odkąd pamiętam, interesowały mnie szyby. Jako osłona, granica, bezpieczna izolacja. Żyłam zawsze za szybą, nie byłam jednak tak głupia, żeby nie wiedzieć, że szyba odgradza mnie od życia, dlatego przez całe lata udawałam, że jestem osobą aktywną. Udawanie kogoś innego to to samo, co niewidzialność, dlatego można powiedzieć, że jestem bardzo podobna do brata.

Człowiek o Kwitnących Kulach stał dalej na ulicy, więc zaprosiłam go do kawiarni, gdzie już siedzieli wszyscy: Paulojohn w swojej skórzanej kurtce, Gertruda i Piękny Piotruś.

Człowiek o Kwitnących Kulach stał dalej na ulicy, więc zaprosiłam go do kawiarni.

Kiedy weszliśmy, Paulojohn odwrócił się od szyby i zapytał Człowieka o Kwitnących Kulach, czy wie, co to znaczy: „fołoł her dałn tu e brydż baj e fałntyn". Ten oparł kule o ścianę i powiedział mu, że to znaczy: „idź za nią do mostu przy fontannie", że zna wszystkie piosenki The Beatles, że dalej w *Penny Lane* jest: „gdzie ludzie – koniki na biegunach jedzą ciasteczka z kaczeńców", ale Paulojohn nie chciał wierzyć i odwrócił się do okna.

Człowiek o Kwitnących Kulach nie ma większego znaczenia. To przechodzień.

WSTĘP DO POCZĄTKU TEJ HISTORII

Stoję pośrodku pustego mieszkania i nie wiem, co zrobić z kluczami. Portier powiedział, że zawsze zmieniają zamki, więc nie oddaję, czuję je w kieszeni, kiedy winda wiezie mnie na parking. Głupio mi wobec tych kluczy. Przeskakują między moimi palcami, nie potrafię wyrzucić ich do śmietnika, a przecież przysięgłam sobie nie gromadzić przedmiotów, nie prowokować chaosu. W moim nowym życiu nie będzie wiele miejsca. Mój żółty porsche wita mnie znanym sygnałem, rzucam torebkę do tyłu i ruszam, zakręcam, piszczę, hamując przy betonowym słupie, zgrzytam, jadąc do tyłu, ruszam do przodu. Zawsze włączam jakąś muzykę, ale nie tym razem, nie teraz, dziś trzeba pomilczeć jak na pogrzebie. Po raz ostatni jadę przez las czarnych apartamentowców, po raz ostatni zatrzymuję się przy kiosku.

– Poproszę pocztówkę z kobietą.

Kioskarz kręci stojakiem jak starą karuzelą.

– Z kobietą na klatce schodowej. Tą z serii „Stolice Europy". Warszawa.

Kioskarz rzuca kartkę, na której kobieta w zielonym, podartym futrze opiera się o poręcz schodów. Jest zrezygnowany. Już nie ma siły doradzać innych kartek, na przykład ze zdjęciami łabędzi na stawach, Pałacu Kultury i naszych przepięknych parków. Już tylko wzrusza ramionami. Siedzi w tej budce od kilkudziesięciu lat, ale czegoś tak głupiego jak ta kartka pocztowa jeszcze nie widział. Oczywiście nie chodzi o samo zdjęcie – jest bez sensu, ale odkąd w tym kraju zapanował wolny rynek, kioskarz widział i sprzedał już niejedno. Tak więc nie chodzi o to, że ta potargana kobieta na zdjęciu oprócz podartego futra ma ciemne okulary, w jednym ręku trzyma otwartą torebkę, a w drugim starą lalkę z poplątanymi włosami. Że stoi na klatce schodowej luksusowego apartamentowca, co widać choćby po oszklonej, nowoczesnej windzie w tle. Chodzi o to, że kioskarz jest warszawiakiem. Że na dole zdjęcia jest wielki napis „Warszawa", i że jest to pocztówka z serii „Stolice Europy". I że w tej serii inne miasta sfotografowane są w miarę normalnie, a Warszawę uosabia wariatka na klatce schodowej. Dlaczego? Gdyby jeszcze kioskarz nie był z Warszawy, gdyby osiedlił się tu z przypadku, ale on, który skakał jako dzieciak po ruinach, on, który zna tutaj każdy dom i stary, i nowy, bo Warszawa jest dla niego jak rodzina, musi się upokarzać dla marnych pieniędzy. Bo jeszcze do tego pocztówka sprzedaje się jak żadna inna. I kioskarz da sobie głowę uciąć, że babka w spodniach, która się zbliża, też poprosi o pocztówkę z kobietą.

– Poproszę o pocztówkę z kobietą. Jeśli można, dziesięć pocztówek.

– Nie można. Została ostatnia.

Kioskarz nie patrzy na mnie, tylko wpatruje się w kartkę. Kobieta w podartym futrze, z lalką w ręce, z otwartą torebką, w jednym bucie, uczesana w gniazdo, ma ciemne okulary, ale i tak widać jej zdziwioną twarz. Może też nie rozumie, dlaczego została Warszawą.

– A... może mi pani powiedzieć... może mi pani powiedzieć... co się pani tak podoba na tej pocztówce?

– Ja.

– Słucham?

– Ja się sobie podobam. To ja jestem na tym zdjęciu.

Swoją drogą Michel dużo przeszedł, zanim zgodzono się, żeby zdjęcie weszło do serii „Stolice Europy". Świadczy o tym e-mail, który dostałam następnego dnia od jej wydawcy.

> Witaj, M! Tu wasz przyjaciel i pracodawca.
> Czy on zwariował? Nie po to angażowałem najlepszego fotoreportera, nie po to dałem mu kupę forsy za serię zdjęć „Stolice Europy", żebyście się przebierali przed obiektywem

w jakieś kostiumy! To zdjęcie się nie nadaje, inne są fantastyczne, ale to z Polski musi wymienić, i – wybacz – już na swój koszt, bo ja mu drugi raz nie zafunduję podróży. To ma być zdjęcie autentyczne, takie, które łączy nowy świat ze starym, zwłaszcza w krajach dawnych demoludów. Na przykład chłopak i dziewczyna, którzy handlują odłamkami muru berlińskiego, to jest super. Michel jest genialny w zdjęciach przypadkowych, fotoreporterskich, i takie u niego zamawiałem. Więc bardzo Cię proszę, nie baw się w modelkę, jesteś świetną dziennikarką, on świetnym fotografem i niech to Wam wystarczy.

Wasz oddany Jack

A kiedy mu odpisałam:

Zdjęcie jest autentyczne. Przypadkowe. Wiem, że trudno w to uwierzyć, ale jeśli Ci nie pasuje, rozmawiaj z nim sam. Rozstaliśmy się właśnie. Wiem, że to nie do wiary, ale tak jest. Całuję

Marianna

odpowiedział dopiero po dwóch dniach:

Kochana M!

Rozmawiałem z Michelem. Nic nie rozumiem, ale zdjęcie wchodzi do serii, bo tak czy inaczej jest świetne. Niech was szlag trafi.

Jack

Próbowałam wyobrazić sobie ich rozmowę. Michel na pewno chodził po gabinecie Jacka, zawadzając wielkim ciałem o sterty zdjęć. Był wściekły przede wszystkim dlatego, że musiał coś mówić. Michel nienawidzi słów. Jack pewnie stał za biurkiem i wpatrywał się w zdjęcia, byle tylko nie patrzeć Michelowi w oczy.

– Miałeś zrobić zdjęcie Warszawy.

– Miałem zrobić zdjęcie tego, co mnie tam zaskoczy. I to właśnie mnie zaskoczyło.

– Miałeś zrobić zdjęcie Warszawy, a zrobiłeś zdjęcie kobiety.

– Która jest warszawianką.

– Wygląda jak wariatka.

– Wariaci zawsze są częścią miasta.

Wyobrażam sobie, że Jack mógł wtedy usiąść. Mógł poczuć się śpiący. Mógł mówić bardzo cicho, bo w gruncie rzeczy nie chciał stracić Michela.

– Ale człowieku! To nie jest przypadkowa wariatka, tylko Marianna! – Spojrzał pewnie na fotografię mojej twarzy i podpis: „I Nagroda World Press Photo". – Ta kobieta przez miesiąc była w niewoli, świece w jej intencji płonęły na ulicach obu półkul, ludzie modlili się do jej zdjęć jak do Madonny. Przecież ona jest tu rozpoznawalna! Przecież to coś znaczy! Dlaczego ma poszarpane zielone futro, dlaczego koszmarną lalkę, dlaczego ma ptasie gniazdo na głowie? Jaki to ma związek z Warszawą, jaki z mostem między nowym i starym...?

– Nie wiem. – Michel mógł przystanąć pośrodku gabinetu. Może nawet spoważniał, widząc tam dawną fotografię mojej twarzy, która przyniosła mu sławę i nagrody. – Nie mam pojęcia. Poszedłem do niej, nie było nikogo, czekałem na klatce, aż się pojawi. I pojawiła się właśnie taka. W poszarpanym futrze, z lalką, w podartych rajstopach i z otwartą torebką.

Teraz Michel mógł podejść do biurka i wziąć do ręki szkło powiększające. Może obaj pochylili się nad zdjęciem, przesuwali nad nim szklane koło i oglądali moją bosą stopę ubrudzoną ziemią. Mogli przyglądać się lalce i jej zniszczonej twarzy, mogli studiować moje włosy sterczące jak gniazdo zburzone przez wiatr.

– To taka fryzura z lat sześćdziesiątych.

– Chcesz powiedzieć, że to jest właśnie ten most? Stary! Za dużo w tym absurdu! Jakaś gonitwa wyobraźni! Kicz!

Jack mógł teraz spojrzeć na Michela. Bo być może przyszło mu do głowy...

– Ja czuję, że to jej pomysł. Ona ma tę... dekoncentrację uwagi. Mówi o tym często w różnych wywiadach... To jest podobno właśnie gonitwa myśli, wyobraźni... Stąd mogła ci zasugerować ten bałagan... ona...

Teraz Michel pewnie wstał. W każdym razie pewnie zrobił jakiś gwałtowny ruch.

– Daj spokój, dobrze?! Jaka dekoncentracja! Ona niczego takiego nie ma, chciałbym się tak koncentrować jak ta kobieta, która nigdy nie ma dość sławy, która, jak nie siedzi w niewoli, jak nie modli się za nią pół świata, to musi coś wymyślić, jakiś uroczy defekt, żeby się o niej mówiło!

Potem pewnie milczeli.

Może teraz Michel poczuł, że sam na sam z jedynym przyjacielem raz w życiu może pozwolić sobie na zwierzenie.

– Nie uprzedziłem jej, że przyjeżdżam, i spotkaliśmy się na klatce schodowej. Wychodziła z windy. Właśnie taka. I zrobiłem jej zdjęcie. A co miałem robić! Pytać ją o coś? O co? O futro? O lalkę? O gniazdo na głowie? O bosą nogę? Zrobiłem zdjęcie, bo to się stało w Warszawie. W Polsce. Cokolwiek by to znaczyło, ma korzenie tam. I nadal uważam, że to jest zdjęcie Warszawy.

– I co... poszedłeś sobie?

– Nie. Otworzyła drzwi, a to, co zobaczyłem w jej mieszkaniu, było takie, że nawet nie robiłem zdjęć. Na zalanej wodą podłodze książki, ubrania, papiery, a na kanapie spał jakiś dziadek.

– Zapytałeś, o co chodzi?

– Tak, ale zaczęła krzyczeć: „No, rób zdjęcia! Dlaczego nie robisz? Nawet kiedy wróciłam z niewoli, to zrobiłeś mi zdjęcie! Nic innego nie miałeś w głowie!". Stałem jak głupi pośrodku tego bałaganu, aż powiedziała: „Odwróć się, muszę się przebrać".

– Ty? Miałeś się odwrócić? Zapytałeś dlaczego?

– Nie. Bo nie mówiła do mnie.

– A do kogo? Do siebie? Do tego staruszka?

– Nie. Mówiła do krzesła. Do pustego krzesła, które stało obok.

Pewnie patrzyli na siebie dość długo, zanim Jack się odezwał:

– To znaczy... że Marianna... że oszalała?

A Michel odpowiedział:

– Tak. Ale w Warszawie.

Tak mogło być, ale teraz to nie ma znaczenia. Tam, na ścianach mojego apartamentu, zostały prostokątne plamy po obrazach, największa po fotografii mojej twarzy. Zanim wyszłam, stanęłam ostatni raz przy oknie z widokiem na czarne apartamentowce. To było trochę tak, jakbym jeszcze raz zamknęła oczy, żeby przywołać sen, bo przecież tak naprawdę nigdy mnie tu nie było. Moje starania, żeby żyć pełnią życia tak, jak rozumieją to inni, moje wojny i pustynie, moja sława i moja twarz, to wszystko było żałosnym oszustwem, które prędzej czy później musiało się wydać. Tylko ty i jeszcze niebiesko-złota Madonna w niszy kościoła wiedzieliście, że prędzej czy później wrócę na podwórko i do kawiarni, gdzie krąg ospałych dziwaków wciągnie mnie raz na zawsze tam, gdzie jest moje miejsce, do stolika obok okna, skąd ogląda się świat jak w akwarium. Bo moje miejsce było, jest i będzie za szybą. Nie można wykluczyć, że wtedy, kiedy zadzwonił telefon, a w słuchawce słychać było Beatlesów, po drugiej stronie linii stała niebieska Madonna z niszy kościoła. To bardzo prawdopodobne.

Zanim zamknęłam drzwi, pracownik firmy przeprowadzkowej spakował jeszcze drukarkę i na pustej podłodze zostało tylko sto kilkadziesiąt zadrukowanych kartek. Sto kilkadziesiąt kartek.

POCZĄTEK TEJ HISTORII

„...Trzy żółte psy skoczyły na drogę, zniknęły w słońcu i w kurzu, biegnę za nimi na oślep, torba z aparatem obija mi się o biodra, myślę nawet, żeby ją zrzucić, ale mam w niej gaz i notatki. Słychać warkot ciężarówki, bez wielkiej nadziei wyskakuję na środek drogi - samochód zatrzymuje się jednak, słyszę ochrypłe «*samhad!*» czy coś w tym rodzaju, wspinam się na schodek, zatrzaskuję odrapane drzwi. Samochód pędzi po wybojach, trzęsie okropnie, śmierdzi tu brudem i wilgocią, siedzę na sprężynie sterczącej z szarego obicia, kierowca nie patrzy na mnie, tylko rozgląda się dookoła, skulony nad kierownicą. Na szczęście nic go nie obchodzi, że obok siedzi biała kobieta, że mam bluzkę rozdartą na ramieniu, że właściwie jestem naga - pewnie zabrał mnie tylko dlatego, żeby nie być sam na sam ze swoją paniką, teraz to zresztą nie ma znaczenia - oboje uciekamy przed śmiercią ruinami ulic, omijając zdechłe psy i szkielety samochodów. Czasem zerkam na niego, na śniadosiną twarz, na mokry od potu podkoszulek. Nawet nie wiem, po czyjej jest stronie, może pozabijał tych, których ostatnie zdjęcia mam w aparacie, może na zdjęciach jest jego brat, nic nie wiem i nigdy się nie dowiem. Przecież za chwilę może zatrzymać samochód i wyrzucić mnie tak nagle, jak zabrał, na taką samą drogę, żółtą i zakurzoną, która już nigdzie nie prowadzi. Słyszę jego przyspieszony oddech, patrzę przez brudne szyby i mam wrażenie, że już tu byłam, że przed chwilą przejeżdżaliśmy obok tych ruin, rozpoznaję kształt rozwalonego domu, ale nic nie mówię, zresztą co mam mówić - nie znam jego języka, nie wiem, czy mówi po angielsku, a poza tym, co to da, jeśli mu udowodnię, że kręcimy się w kółko, przecież nie wiem, czy droga, która wyprowadzi nas z miasta, jest bezpieczniejsza. Znowu pies przebiega przez drogę, patrzę za nim w głąb ruin i nagle miga mi przed oczami sylwetka dziecka. Jakby sfrunęło z murka na dół - małe dziecko w ciemnym podkoszulku. Przez moment staram się nie wierzyć w to, co widziałam, ale obraz wraca jak stop-klatka.

- Stop - wołam. - Stop! *Child!* Tam! *Child!* Tam! - Macham ręką do tyłu, kierowca zerka na mnie, ale jedzie dalej, szarpię się z drzwiami, w każdym razie udaję, że się szarpię, w tym pędzie przecież nie wyskoczę, kierowca przyspiesza, podskakujemy jak piłki na siedzeniach, myślę gorączkowo, że musimy zawrócić, inaczej to dziecko nigdy mnie nie opuści, tylko co z nim zrobimy... Patrzę na kierowcę, który panicznie rozgląda się po ruinach. - Stop! *Child!* - wołam jeszcze kilka razy i wreszcie milknę.

Właśnie przegrałam wojnę. Moja kapitulacja jest upokarzająca - polega na sile bezsilności. Los tego dziecka nie zależy ode mnie, bo to nie moja wojna, jestem tylko reporterką, okiem zza szyby, a sfruwające z murków ofiary są częścią mojej opowieści. Nagle kierowca skręca. Pochylona pod ostrym kątem widzę swoją twarz w zamazanym lusterku, spoconą, poczerwieniałą, ze smugami kurzu na policzkach i na jasnych włosach, które do niedawna były tu sensacją. Czuję zapach potu, nie wiem, czy mój, czy kierowcy...

Odkąd zobaczyłam to dziecko, myśli jakby zwolniły bieg - podskakuję na siedzeniu, bierna jak kukła porwana przez szaleńca.

Samochód zatrzymał się niespodziewanie. Łapię kierowcę za rękę, jakby zahamował ktoś inny. On szarpie ramieniem, otwiera drzwi i wyskakuje, zostawiając mnie w środku, dokąd od razu wdziera się suchy, śmiertelny upał. Patrzę, jak mężczyzna ucieka w głąb ruin. Dopiero po chwili odwracam głowę i widzę przez przednią szybę obraz zakłócony przez wrzące powietrze.

W moją stronę zbliża się grupa mężczyzn. Jeden ma karabin i mimo upału ubrany jest w szarą kurtkę, dwaj trzymają ręce w kieszeniach spodni, jakby mieli tam ukrytą broń.

Ściskam torbę z aparatem, gdzie mam też pojemnik z gazem. W pierwszym odruchu chcę go schować pod siedzenie, ale przecież i tak to dostaną, i tak nie mam wyboru, muszę wysiąść z podniesionymi rękami, muszę zrobić to zaraz, zanim podejdą do samochodu i zaczną się ze mną szarpać. Mam tylko kilka sekund. Są już przy masce, wystarczy jeden skok, żeby znaleźli się w środku, nie mogą zobaczyć, że sięgam po kluczyk, robię to, angażując tylko lewą rękę, reszta ciała jest nieruchoma, skupiam się na mężczyznach, patrzę na nich jak ktoś, kto ma zamiar się poddać, dotykam gorącego metalu, łapię za kierownicę, jednocześnie rzucam się w lewo, naciskam pedał gazu i ruszam prosto na nich. Ciężarówka tak skacze, że puszczam kierownicę, przestaję nad nią panować, skrzynia biegów jak źle złożona zabawka, wszystko tutaj odbywa swój niezależny taniec, fotele osobno, kierownica osobno, ja osobno, wszystko warczy, klekocze, podskakuje, w tym kurzu czuję się, jakbym walczyła z żywiołem, jeden z mężczyzn już prawie chwyta za klamkę, przy kolejnym podskoku lusterko prawie odpada, buja się na jednej śrubie, od czasu do czasu miga w nim moja twarz, oblepiona włosami, kręcę kierownicą aż do bólu napiętych ramion, przede mną znowu ukazuje się żółta droga i ci mężczyźni, jadę wprost na nich, więc uciekają na boki, w tańczącym lusterku widzę, jak biegną coraz wolniej i wreszcie przystają, jakby mnie żegnali, kurz powoli opada, zwalniam trochę, odchylam się na oparcie, jak po zwycięstwie, chociaż nie wiem, czemu ono ma służyć, gdzie właściwie jadę i co mam zrobić z moją samotną wolnością".

I wtedy właśnie zadzwonił telefon. A już zapomniałam, że istnieje cokolwiek poza moim dziwnym życiem, które opisuję na zamówienie wydawnictwa, głównie z powodu zawrotnej zaliczki. Sięgnęłam po słuchawkę odruchowo. Nie powinnam była tego robić.

– Witam cię, Misiu, tutaj Gertruda w Zagranicznych Rajstopach.

– Słucham? – Chciałam powiedzieć: „pomyłka", bo to była pomyłka, ja już naprawdę dla nikogo nie byłam Misią, Misia nie istniała, na mojej nowej twarzy nie było już śladu po Misi.

– Nie pamiętasz mnie? Gertruda! Gercia! No tak... nie masz czasu pamiętać. Taka wariatka z małym biustem w czeskich kapciach. Ta, co wylosowała George'a Harrisona... Byłyśmy w jednej klasie, ale ty pewnie nawet nie pamiętasz numeru naszej podstawówki.

Czułam się tak, jakby mnie ktoś powoli wybudzał ze snu.

– Trzynastka.

– No tak! Trzynastka! Dostałam twój numer w redakcji, bo ja też jestem dziennikarką, może nie tak znaną, nieporywaną na pustyniach (śmiech), nie miałam szczęścia być zakładniczką i nie szukało mnie pół świata, ale nie narzekam. Pracuję w takim jednym brukowcu, ale za to spokojnie sobie żyję, a ja uważam, że to jest najważniejsze.

Cisza... Przeczuwałam, że zaraz będzie płakać.

– Ja zresztą chciałam się zaczepić w jakimś ambitniejszym piśmie, ale jestem spoza układów, i co poradzisz. Nie wiem, czy czytałaś mój artykuł o hodowli zwierząt futerkowych, jeśli nie, to ci przyślę i zobaczysz, że ja też mam niezłe pióro (płacz). Przepraszam. Rozkleiłam się bez sensu, a przecież w ogóle nie o tym chciałam mówić, dzwonię w innej sprawie. Jesteś tam?

Gertruda. Oczywiście. Pamiętam. Szkolny korytarz, wrzask, bieganina, odór chloru z ubikacji, woźna ze ścierką do podłogi kręci się jak natrętna mucha: – Nie biegaj! Nie biegaj!...

Gertruda. Jakiś chłopak ciągnie ją po podłodze. Ona się opiera jak skazaniec idący na śmierć. Ma na sobie granatowy fartuch i czerwone rajstopy. Chłopak jest klasowym dyżurnym. Wlecze ją do gabinetu dyrektora. Nie wolno nosić czerwonych rajstop.

Gertruda w Zagranicznych Rajstopach! Miała ich kilka par. Czerwone, zielone i fioletowe. Nasze rajstopy, koloru cienkiej zbożowej kawy, były prążkowane i miały wdzięk szmaty do podłogi. Gertruda wyglądała wśród nas jak egzotyczny ptak. Zawsze wszystkich drażniła, może swoim niskim głosem, może imieniem. Aha! I umiała ślizgać się po podłodze jak nikt. Brała rozpęd i pokonywała zapastowaną podłogę. Mówiła, że ma czeskie kapcie.

– Tak, jestem. Czy to ty dzwoniłaś? Ty puściłaś Beatlesów?

– Ja. Nie mogłam się przemóc, żeby zacząć rozmowę, i miałam tylko tyle odwagi, żeby ci puścić naszą płytę. No wiesz, ty jesteś jednak supergwiazdą, a ja przy tobie co? Zero. Więc masz prawo mnie olać oczywiście. Misiu... ja mam do ciebie prośbę, bo... kurczę, nie wiem, jak zacząć...

– Słuchaj. – Mój głos jest chłodny do bólu, wiem, ale to jedyny sposób, żeby zrazić do siebie wszystkich, którzy mają za dużo czasu – pamiętam cię naturalnie, tylko porozmawiamy kiedy indziej, bo teraz jestem w środku roboty.

– ...bo wiesz, moja mama umarła... Nie pamiętasz mojej mamy? Taka zawsze w futrze. Taka z niskim głosem. Nie pamiętasz?

Kobieta Zawsze w Futrze. Oczywiście, że pamiętam.

Siadała na szkolnych schodach i zapalała papierosa. Jej futro, brązowo-zielone, a raczej zzieleniałe, rozkładało się na stopniach jak dywan. Miała oczy obrysowane ciemną kreską, która rozmazywała się w gorące dni, sztuczne rzęsy odpadały od powiek, a ciemnoczerwona szminka wyglądała tak, jakby niezbyt dokładnie przykleiła się do ust. Kobieta nie zwracała uwagi na rozwrzeszczany tłum dzieciaków, patrzyła w stronę drzwi pokoju nauczycielskiego, od czasu do czasu wyjmując z kieszeni futra małą buteleczkę... Kobieta Zawsze w Futrze. Kobieta Zawsze w Futrze umarła.

– Strasznie mi przykro... Zupełnie nie wiem, co powiedzieć. Człowiek w takich...

– Nie męcz się. Czy doszła do ciebie moja przesyłka? Musiała dojść. Posłałam to na adres redakcji i oni mi powiedzieli, że listy do ciebie wsadzają w jedną dużą kopertę i przysyłają ci raz na tydzień. Minął już tydzień. Tam jest list i jeszcze...

Kobieta Zawsze w Futrze handlowała zagranicznymi ciuchami na bazarze. Nie przychodziła na wywiadówki jak inni rodzice, tylko w zwykłe dni rano siadywała na schodach i wypatrywała nauczycieli, którzy na jej widok przyspieszali kroku, a ona podrywała się ze schodów jak zielony ptak, biegła, chybocząc się na cienkich obcasach i zastępowała im drogę.

– Co z Gertrudą? – pytała, patrząc im uważnie w oczy.

Słuchała pospiesznych odpowiedzi podejrzliwie, jakby przeczuwała dramat, chociaż Gertruda była przeciętną uczennicą i nic jej nie groziło. Poza tym Gertruda była fenomenalnie muzykalna, śpiewała solo na wszystkich akademiach, i to śpiewała tak, że nawet Szycha, nasza dyrektorka, miała wypieki, a jej potężny biust falował ze wzruszenia.

– Kiedy umarła?

– Dwa miesiące temu, ale ja dopiero teraz odpakowuję różne pudła i w jednym z nich znalazłam zdjęcie, które może cię rozbawić, nie mam pojęcia, jak ono się u nas zaplątało, przecież ani mnie, ani mojej mamy tam nie ma, w każdym razie ty jesteś i idziesz do pierwszej komunii z rodzicami, pomyślałam, że to dla ciebie może być jakaś pamiątka, bardzo tam jesteś komiczna, pulpecik taki, nie do poznania... i jeszcze dołączyłam dwa zdjęcia...

Zamilkła. Jej głos był słaby, słowa więdły w połowie zdania, jakby czuła, że mówi w pustkę. Nie mogłam sobie przypomnieć twarzy Gertrudy. Zresztą nie pamiętam już prawie żadnej twarzy, nawet własnej, a co dopiero innych dzieci, w ogóle nie pamiętam dzieci, nie widzę, nie dostrzegam dzieci, nie mam dzieci i oprócz tamtego, które sfrunęło z murka, żadne dziecko nie robi na mnie wrażenia.

– Dla ciebie to zresztą pewnie już bez znaczenia. Ty jesteś tu i teraz. Ja żyję przeszłością. Przyznaję. Zresztą u nas wszyscy zawsze się babrali w przeszłości: i moja mama, i...

– Słuchaj, ja muszę...

– ...i moja córka też. Obie jesteśmy takie. Nie do życia. Ja jej zawsze pokazuję ciebie w telewizji i ona nie wierzy, że jesteśmy w tym samym wieku... No i gratuluję ci nowej twarzy! Nie wiem, gdzie to zrobiłaś, ale w telewizji ja w ogóle cię nie poznałam w pierwszej chwili: ona to czy nie ona, mówię, i dopiero po głosie...

Chciałam się rozłączyć. Nie wytrzymam ani minuty rozmowy o twarzy, o tamtej operacji, do której mnie łagodnie zmuszono, kiedy miałam dostać telewizyjny program „Rozmowy z Tobą". Kiedy pracuję, lustro jest daleko od biurka, nie przypomina mi, że maska o idealnych rysach jest ze mną zrośnięta na zawsze. Nienawidzę luster. Na spotkanie z twarzą przygotowuję się jak do walki.

– Bosko wyglądasz. Nie do poznania. Jesteś tam?

Na podwórku Gertrudy był wysoki mur z cegieł, które wystawały jak skalne występy, mur do wspinaczek, pod który schodzili się najfajniejsi chłopcy z Ochoty i dokonywali tam górskich wyczynów aż do chwili, kiedy pojawiał się któryś z ojców z pasem złożonym w chudą pętlę. Gertruda wspinała się rewelacyjnie. Wspinała się bez namysłu, nie oceniając wytrzymałości cegieł, jakby nie zależało jej na życiu. Jedyne, na czym jej zależało, to zagraniczne rajstopy, które nie mogły się podrzeć, więc Gertruda wspinała się, kiedy matka pozwoliła jej założyć polskie rajstopy. Wtedy zawsze można ją było zobaczyć przylepioną do muru i skaczącą od cegły do cegły jak konik polny.

– Tak... tak, jestem, słuchaj, przepraszam cię, ale teraz nie mogę już dłużej rozmawiać, mam robotę... już tam czekają... wiesz, jak to jest...

– Wiem, jasne.

Nie wie. Jak mogłam powiedzieć: „Wiesz, jak to jest".

– W każdym razie dzięki, że zadzwoniłaś.

– Jasne. No, tak. Dzięki ci, i ja się odezwę.

– Pa.

– Pa.

„Siedzę w ciężarówce, wpatrując się w przednią szybę. Nic tam nie ma. Tylko spalone trawy w kolorze ciemnej sepii. Pierwsza samotna noc w ciężarówce, noc, która dogorywa, w rzeczywistości, która nie ma stron świata ani godzin. A więc, kiedy się tu zapadnę, moja śmierć nie będzie miała daty.

Wiatr zrywa się na chwilę, szarpie trawami, sypie kurzem i wybudza mnie z letargu. Uciekam przed tą nocą... Uciekam...".

Strawberry fields forever.

Living is easy with eyes closed,

Misunderstanding all you see.

„Kiedy pani pracuje, proszę wyłączyć inne źródła bodźców – każdy terapeuta to mówi, powtarza jak mantrę. – Telefon, telewizor, radio... wystarczy jedna myśl z innego świata, a wciągnie panią jak w studnię".

Za późno. Na biurku obok laptopa leżała zaklejona brązowa koperta. Była grubsza od innych. Kiedy ją rozerwałam, wypadły trzy fotografie. Na pierwszą nie zwróciłam uwagi – na niej byłam ja w sukience do pierwszej komunii i moi rodzice, moja ulica, wiosna – odłożyłam to zdjęcie, bo spod niego wysunęło się inne. Nigdy go nie widziałam, nawet nie mogłam sobie przypomnieć, kto mógł nas wtedy sfotografować, zresztą to było tak dawno...

Jest wieczór. Na czeskim adapterze kręci się mała płyta. Słychać cichutkie: *hey Jude... don't let me down...* Cztery dziewczynki siedzą na podłodze. Okna zasłonięte są dwoma kocami, pali się tylko boczna lampka. Miały palić się świece, ale w żadnym sklepie nie było świec. Dziewczynki są trochę zmęczone, dwie z nich mają bluzki rozpięte do połowy.

Przed chwilą był tu sabat czarownic...

Just let me hear some of that rock and roll music!!!

przed chwilą dziewczyny skakały po kanapie

Any old way you choose it!!!

tak jak tamte dziewczyny, dziewczyny za granicą

It's got a back beat, you can't lose it,

płyta szalała w rytmie rock and rolla

Any old time you use it

widzę to teraz, widzę, jak Henia wyciąga ręce, czerwona od gorączki, mokra z wyczerpania:

It's gotta be rock and roll music

ten krzyk jest zaraźliwy

If you wanna dance with me

boję się go, ale zaczynam wrzeszczeć, jak ona

If you wanna dance with me

jakbym była Henią, jakbym nie miała własnych myśli, jakbym nic nie miała swojego, tylko głos i ruchy Heni

I've got no kick against modern jazz

wyciągam ręce, szaleję, płaczę, gdyby ktoś kazał mi teraz skoczyć w płomienie

Unless they try to play it too darn fast

nie czułabym bólu, mogłabym przejść po nitce nad przepaścią

And change the beauty of the melody

jestem wibrującą sprężynką, jestem krzykiem, jestem płaczem

Until they sound just like a symphony

Anna już nie ma siły, już wykrzyczała cały głos, więc szarpie białą bluzkę

That's why I go for that that rock and roll music

guziki spadają na podłogę...

Podobno w Londynie jedna z dziewczyn w transie wyjęła sobie oko.

It's gotta be rock'n'roll music

Anna wczepia palce we włosy, opadają jak mokra szmatka, Anna wyciera nimi twarz

If you wanna dance with me

Gertruda robi mostek, łuk histeryczny, niema ekstaza, podskórne konwulsje...

If you wanna dance with me

If you wanna dance with me...

Jak można wyjąć sobie oko...

Jak można wyjąć sobie oko? To znaczy: praktycznie, jak to jest możliwe? W transie można sobie wyrwać włosy, to tak, można złamać rękę, nogę, można nawet rozpruć sobie brzuch i wyjąć żołądek, w transie to możliwe, ale oko? Jest bardzo głęboko osadzone. Zasłania je powieka, która zamyka się odruchowo. W ogóle oko umie się bronić - łzawi, boli, ucieka jak ryba. Każda z nas próbowała wyjąć sobie oko. Ani w transie, ani na spokojnie, nawet przy pomocy koleżanki, żadnej się nie udało. A w Londynie tak.

Cztery dziewczynki siedzą na podłodze, w środku stoi blaszana miska. Dziewczynki mają w rękach paski papieru w kratkę wyrwane z zeszytu. Na każdym pasku napisane jest jedno imię i nazwisko. Paul McCartney, John Lennon, Ringo Starr, George Harrison. Nieważne, która z nich trzyma który pasek - za chwilę wszystkie paski zostaną wrzucone do miski. Za chwilę dziewczęta zamkną oczy i każda z nich wyciągnie karteczkę. Potem zostaną odczytane nazwiska. Odtąd każda z dziewcząt będzie kochać tylko jednego z czterech członków zespołu The Beatles. Będzie go kochać namiętnie, ale i z pełną wyrozumiałością. Będzie mu żoną, matką i kochanką. Nareszcie. Nie można kochać czterech mężczyzn naraz, na któregoś trzeba się zdecydować, zwłaszcza że jest akurat cztery na cztery: cztery dziewczęta i ich czterech. Potem złożą przysięgę: „Każda pozna osobiście jednego chłopca z zespołu The Beatles".

– To jest możliwe. Oni żyją w tym samym czasie co my. W tym sensie jesteśmy rodziną.

Wylosowałam miłość do Paula McCartneya. Na każdym zeszycie, na drzwiach do pokoju, na klatce schodowej, wszędzie będę pisać: „Kocham, kocham, kocham Paula McCartneya". Będę kochać wszystko, co się kojarzy z jego osobą, z jego nazwiskiem, z cieniem jego nazwiska...

Yesterday, all my troubles seemed so far away.
Now it looks as though they're here to stay,
Oh, I believe in yesterday.

„Normalni ludzie w normalnym kraju uciekają przed nocą do domów, do hoteli, do innych ludzi. Jak i dokąd ucieka się przed nocą tam, gdzie nie ma ani jednego dachu? Nigdy w życiu się tak nie bałam i nigdy w życiu tak nie tęskniłam do ludzi. Do jakichkolwiek ludzi. Tęskniłam nawet do tych strasznych mężczyzn, którzy przed kilkoma godzinami czepiali się samochodu. Zaczyna się ostry, nocny chłód. Omdlała ze strachu, pokonując fizyczną słabość, obracam kluczyk w stacyjce i skręcam kierownicę, żeby wyprowadzić samochód na drogę. Kolebię się na wybojach, rozglądam na boki jak zmęczona turystka i nagle na poboczu widzę ciemny kształt. Jakieś zwierzę leży nieruchomo na piasku, z pewnością martwe, bo piasek obsypał ciało. Podjeżdżam bliżej i dostrzegam niedaleko ciała karabin zwrócony lufą do drogi. Zwalniam jeszcze i wpatruję się w nieruchomy kształt, rozróżniam ciemną dłoń wystającą z szarej kurtki. Mężczyzna leży twarzą do ziemi. Przejeżdżam obok wolno i cicho. Myślę nawet, że mogłabym zrobić zdjęcie, ale po co? Dlaczego właściwie nie zabrano mu karabinu? Może stan rzeczy jest taki, że karabiny nie mają już znaczenia...?

Szarpię dźwignię biegów, odwracam głowę, i najszybciej jak mogę cofam samochód, zeskakuję ze stopnia, chwytam jego karabin i wracam do wozu".

„Jak napisałaś er jak napisałaś er jak napisałaś er jak napisałaś er" - mama Ani dostawała czasem nagłej histerii. Wtedy każde słowo przeskakiwało przez ściany innych mieszkań i przez poranną ciszę. Mama Ani dostawała histerii tylko rankami.

Cztery dziewczynki siedzą na podłodze. Nie mogłam dłużej pisać. Litery na ekranie rozmywały się jak w upalnym powietrzu. Było mi duszno, wszędzie czułam zapach starych koców, którymi wtedy zasłoniłyśmy okna.

Anna jest dzisiaj wybitną postacią w ONZ, pracuje w departamencie do spraw globalnych zagrożeń. Bezdzietna. Córka redaktorki pisma „Nasz Dzień" i waltornisty z Orkiestry Kameralnej Polskiego Radia. Ostatni raz widziałam ją, kiedy razem z matką szła przez podwórko, dźwigając wielką walizkę. To był sześćdziesiąty ósmy rok. Nagonka na Żydów. Zostało akwarium z rybkami.

Henia, córka dozorcy. Wyjechała gdzieś w Polskę i chyba pracuje na kolei. Podobno ma siedmioro dzieci. Na pogrzebie moich rodziców zemdlała. Rzadko można zobaczyć dwie trumny naraz. Kiedy wsiadałam do samochodu ciotki, która zabierała mnie do swojej willi, Henia podarowała mi medalik z Matką Boską.

Gertruda jest dziennikarką, ale nie zrobiła kariery. Ma córkę. Nie pamiętam, kiedy widziałam ją ostatni raz. Chyba w drzwiach. Stała tam ze swoją mamą, która powiedziała mi o wypadku.

Ja, Marianna, czyli Misia, córka spikera radiowego, dziennikarka, reporterka wojenna. Moi rodzice zginęli w wypadku samochodowym. Bezdzietna.

Zaczęłam się przyglądać temu drugiemu zdjęciu. Dopiero teraz zauważyłam, że jest w nim coś, co mnie niepokoi. Może to, że fotografie z pierwszej komunii są pozowane, a to jest przypadkowe – zwykli przechodnie, tylko odświętnie ubrani. Naprawdę miałam najszczersze chęci, żeby wrócić tam, na pustynię, ale...

Kto i po co zrobił to zdjęcie? Patrzę prosto w obiektyw, ale nie jestem do niego zwrócona jak ktoś, kto pozuje do fotografii. Moje oczy, ocienione podwiędłymi konwaliami, mają w sobie taką radość, jakbym zobaczyła kogoś, kogo nie spodziewałam się zobaczyć. Rodzice najwyraźniej w ogóle nie wiedzą, że są fotografowani. Oboje śmieją się do swoich myśli, możliwe zresztą, że mój dowcipny ojciec powiedział coś zabawnego, co nie licowało z powagą Komunii Świętej, coś, co zrozumiała tylko mama i śmiała się z tego, choć pewnie nie śmieszyło jej to wcale.

Po kilku minutach skapitulowałam.

– Chodź, dziewczynko, do skanera. Przyjrzymy się bliżej tobie i moim malutkim, szarobiałym, roześmianym rodzicom.

Zdjęcie rozproszyło się na drobinki i ekran wypełniły moje zmrużone oczy. Na zdjęciu ledwie je widać nad pulchnymi policzkami, powieki mam spuchnięte jak od płaczu... Zza tych fałdek skóry niewiele można zobaczyć, a jednak widoczna jest czarna kropka pośrodku fragmentu koła. Koło wcale nie znajduje się w centrum. Oko nie patrzy na mnie. Patrzy kilka milimetrów w bok – moje oko, moje młodsze oko mnie nie widzi. Patrzy gdzieś dalej, jakby szukało kogoś, ale tym kimś nie jest człowiek, który właśnie robi zdjęcie. Na kogo patrzę? Kogo szukam w głębi ulicy? Oczywiście, że wiem kogo. Czyj wzrok czuję na sobie, do kogo się śmieję, chociaż głowę ściska mi wianek z żywych konwalii. W cieniu mojego niewidocznego na fotografii domu, ukryty za kioskiem z gazetami, stoi mój starszy brat Cygan. Zawsze, kiedy było mi źle, kiedy czułam się chorobliwie ospała, gorsza od innych, stawał przede mną z rękami w kieszeniach prochowca, uśmiechał się jak Paul McCartney i mówił, że nigdy mnie nie opuści.

Chciałam wydrukować całe zdjęcie, ale ograniczyłam je do ocienionej konwaliami twarzy. Kiedy drukarka przestała pracować, przypięłam zdjęcie na korkowej tablicy nad biurkiem, tuż obok zdjęcia „mojej twarzy".

Nigdy, patrząc na wychudzoną kobietę o wielkich oczach, nie pomyślałam: „to ja" albo „to moje zdjęcie", nigdy inaczej, tylko: „moja twarz". Może dlatego, że pojechałam na tę wojnę dwa miesiące po operacji, i właśnie to arcydzieło chirurgii plastycznej, moja nowa twarz, zostało tuż po narodzeniu poddane torturom, i właśnie na nim odcisnęły się ślady strachu, głodu i samotności. Kiedy ta fotografia wygrała konkurs World Press Photo i zapełniła witryny całego świata, a moja twarz patrzyła na mnie z billboardów przy autostradach i na ścianach wieżowców, szybko uciekłam od myśli, że to ja. Zdjęcie zrobił Michel tuż po moim ocaleniu, kiedy wróciłam do bazy. Zrobił je, kiedy stanęłam w drzwiach. Ukrył się za szafą i zrobił zdjęcie.

Właściwie nie wiem, dlaczego powiesiłam je nad biurkiem. Pewnie zrobiłam to, żeby pamiętać, jaka jestem, bo przecież miałam być taka, podobna do współczesnego świata: neurotyczna, wściekła, wygłodzona. A teraz do mojej twarzy przykleiła się ta dziewczynka. Ospała dziewczynka z nadwagą. I nie mogłam pozbyć się uczucia, że to dziecko pojawiło się w moim pokoju w jakimś celu. Że obie twarze są tu po coś.

„Teraz, kiedy mam karabin, jadę tak pewnie, jakbym miała jakiś cel. Człowiek to tylko aktor, który wie, kim jest, dopiero kiedy dostaje kostium i rekwizyty. Jadę tak szybko, jak pozwala nierówna droga. Okaleczone miasto zbliża się do mnie, czuję wilgoć ciemnych murów i nagle widzę... od strony budynków zbliża się kilku mężczyzn. To chyba ci sami, którym uciekłam, jednak teraz idą tak wolno, jakby spacerowali, a moja ciężarówka nie robi na nich wrażenia.

Zatrzymuję się. Wysiadam z ciężarówki, zostawiając karabin na siedzeniu. Bez względu na to, jakie mają zamiary, czy zabili mężczyznę w kurtce, bez względu na to, czy mają zamiar zabić mnie, jestem szczęśliwa, że mogę do nich podejść. Zagaduję po angielsku, ale nic nie mówią, więc tylko pokazuję na ciężarówkę. Jest ich pięciu, zastanawiam się, którego zaprosić na przednie siedzenie albo czy lepiej, żeby wszyscy siedzieli z tyłu, pod płócienną plandeką. Oni zresztą decydują sami, bo wszyscy idą do tyłu, więc otwieram drzwi i siadam za kierownicą. Nagle słyszę krótki krzyk, potem odgłosy chaotycznej bieganiny - chwytam karabin i zeskakuję ze schodka. Jeden z mężczyzn stoi z pistoletem wycelowanym prosto we mnie. Przygląda mi się uważnie, a potem wskazuje palcem tył ciężarówki".

Tyle byłam w stanie napisać. Na moim biurku obok laptopa leżała ta fotografia, czułam coś w rodzaju narastającej gorączki, a to, co dyktowała mi pamięć, nie miało nic wspólnego z pustynią. Koncentrowałam się, odrzucałam natrętne obrazy, ale i tak za kierownicą rozklekotanej ciężarówki widziałam teraz Lucy. Lalkę o twarzy dwunastoletniej dziewczynki. Kiedy mój ojciec wyjmował ją z amerykańskiej walizki...

Zadzwonił telefon, chwyciłam słuchawkę, jakby mógł to być jakiś ratunek.

- Halo.

Gertruda była rozbawiona, ale tym razem mnie to nie drażniło, zwłaszcza że powiedziała nagle:

- Chcesz sto złotych? Nie, nie zwariowałam, tylko właśnie natknęłam się na stuzłotowy banknot z naszych czasów. W ogóle... dziwne to pudełko, wiesz? Pełno starych gazet, zdjęcia, a wszystko popakowane, powiązane, jakby miało wartość. Nie mam pojęcia, co z tym zrobić, a wyrzucić nie umiem. No, to nie przeszkadzam. Tak chciałam tylko...

– Nie, nie, poczekaj! – Zatrzymałam ją, chociaż nie miałam pomysłu na rozmowę. – Słuchaj... Kogo wylosowała Henia? Bo Anna... zaraz... zaraz... Anna wylosowała Ringo... Chyba tak.

– Tak. Była wściekła, bo do niej nie pasował. Ty Paula, ja George'a, Henia Johna.

– Czekaj! A Lucy? Pamiętasz Lucy?

– Nie pamiętam...

– Nie pamiętasz? No oczywiście! Lucy! Miałam Lucy, amerykańską lalkę... Gercia?

Ta cisza była inna niż poprzednie. Jakby tam po drugiej stronie ktoś przestał oddychać.

– Może. Coś tam pamiętam, ale niedokładnie.

– Naprawdę nie pamiętasz Lucy?

– Nie bardzo. – I nagle: – To trzymaj się, muszę kończyć. Jeszcze pogadamy.

– To trzymaj się.

– Pa.

Dlaczego udała, że nie pamięta? Ktoś, kto ciągle wspomina przeszłość, nie może zapomnieć Lucy. Ktokolwiek zetknął się z tą lalką, nie może jej zapomnieć.

Kiedy mój ojciec wyjmował ją z amerykańskiej walizki, poczułam coś w rodzaju upokorzenia. Lucy patrzyła na mnie z takim zdziwieniem... Wstydziłam się swojego szkolnego fartucha, prążkowanych rajstop i tego, że świat znam tylko z pięciu pocztówek. Wiedziałam, że nigdy nie będę miała tak prostych pleców jak Lucy i zagranicznych włosów, które przesypywały się z lewa na prawo. Że w moim mieście nigdy nie będzie kawiarenek z parasolami. Lucy na pewno umiałaby otworzyć owocowy kefir, który przywiozła ze Szwecji koleżanka mojej mamy.

Usta Lucy miały w sobie jakiś błąd. Nie wiem, jak się robi lalki, ale tego dnia, kiedy Lucy spadła na amerykańską taśmę, coś się chyba zacięło, nastąpiło drobne wahnięcie i prawy kącik ust Lucy pojechał lekko do góry. Stąd na jej twarzy ironiczny uśmiech. Przy Lucy każdy, nawet dorosły, czuł się jak szeregowiec armii szczurów.

Moje polskie lalki miały smutne twarze polskiego dziecka i pachniały punktem szczepień. To były dziewczynki o żółtawej cerze i włosach wyrzeźbionych w tej samej twardej materii, co reszta ciała. Ich oczy, zawsze otwarte z braku powiek, miały w sobie dużo pokory. Były to grzeczne, skromne lalki, łatwe do wychowania i właściwie nie zdarzało się z nimi nic ciekawego, nawet jeśli zabrało się którąś na wyspę Tajtaio albo na wojnę.

Lucy pachniała zagranicą. Zagranica ma słodkawy zapach kauczuku.

„Ściskam mocniej karabin i ostrożnie podchodzę do plandeki. Płócienna klapa jest podniesiona jak kurtyna – mężczyźni patrzą, jak zbliżam się do ciemnego otworu. To, co teraz widzę... Żadna z przeżytych chwil nie była tak podobna do snu.

Z ciemnej, głębokiej przestrzeni patrzą na mnie oczy wielu ludzi. Ich usta są zawiązane chustkami, ręce i nogi spętane kłębami sznurów...".

Picture yourself in a boat on a river,
With tangerine trees and marmalade skies
Somebody calls you, you answer quite slowly,
A girl with kaleidoscope eyes.
Lucy in the sky with diamonds...

Kiedyś słynny piosenkarz, gwiazda i duma naszej dzielnicy, Wojciech Wojacki, mój sąsiad z pierwszego piętra, zatrzymał się i patrząc na Lucy, powiedział:

– Ho, ho. – Zabrzmiało to jak piosenka, ale kiedy Lucy na niego spojrzała, odszedł skulony, z głową wtuloną w ramiona. Jak chory gołąb.

In the town where I was born
Lived a man who sailed to sea
And he told us of his life
In the land of submarines

Wojciech Wojacki był lunatykiem. Kiedy jeszcze żyła jego matka, mieszkali razem w małym mieszkanku, w kamienicy naprzeciwko. Matka przywiązywała nogę syna do swojej nogi i spali w jednym łóżku. W czasie pełni, kiedy Wojacki podnosił się, patrząc w stronę okna, jej noga drgała jak poruszony skobel. Wtedy matka siadała z synem na brzegu łóżka.

– Idziemy? – pytał.

– Idziemy, Wojtusiu, idziemy. – Siedząc na pościeli, drepcząc w miejscu, udawali lunatyczną podróż. Ich krótka rozmowa o trzeciej nad ranem odbijała się od murów kamienic.

– Idziemy?

– Idziemy, Wojtusiu.

Kiedy matka Wojackiego umarła, przeprowadził się do naszego domu i zamieszkał z Pięknym Piotrusiem, puste, małe mieszkanko zostało a ludzie mówili, że w czasie pełni Wojacki się tam przemieszcza.

„Nagle mężczyzna z pistoletem rzuca broń na ziemię. Pozostali podnoszą ręce do góry, potem sami, jeden po drugim, podchodzą do ciężarówki i wspinają się na platformę. Siadają obok tamtych i wpatrują się w drogę, jakby siedzieli tu już od wielu godzin. Pozostali patrzą na mnie z wyraźnym strachem w oczach – to dwie kobiety i kilkunastu ciemnoskórych mężczyzn. Boję się powiedzieć, żeby wysiedli. Nie wiem, kim są, nie wiem, kim będą, jeśli uwolnię ich ze sznurów. Kim są teraz «moi mężczyźni»? Jak odbierają ich jeńcy? Jedno wiem na pewno. Nie mogę dać poznać po sobie, że jestem bezradna jak oni. Zostałam zwycięzcą jakiejś wojennej operacji i muszę zachowywać się jak zwycięzca. Opuszczam plandekę i siadam za kierownicą".

Kiedy dozorca zamiatał podwórko, lubiła siedzieć na deskach piaskownicy i patrzeć, jak ruchy jego miotły stają się coraz gwałtowniejsze. Słuchać, jak miotła szeptała na widok mamy Ani. To, co szeptała, nie było miłe. Podobno, Żydzi mają wszystkie pieniądze świata. Dlaczego Anna nie ma pieniędzy na wycieczkę szkolną, nie szeptała.

Miotła syczała, kiedy Piękny Piotruś, współlokator Wojskiego, „rajski ptak dzielnicy", przechodził podwórkiem z siatkami pełnymi kartofli, z papierem toaletowym zawieszonym na szyi. To, co syczała, było okropne.

Zgrzytała, kiedy fryzjer, pan Longin, wyprowadzał na spacer starego pekińczyka.

Miotła milkła tylko na widok Wdowy po Pisarzu. Wszyscy milkli. Szła wyprostowana jak żołnierz, wysoka, zawsze życzliwie uśmiechnięta. Zapominali, że każdej nocy budzi ich krzykiem: „Ja go nie zabiłam! Ja go nie zabiłam!". I że nikt nie wie, dlaczego tak krzyczy. Pisarz, kiedy jeszcze żył, mówił, że tak jest od wojny.

„Ruszam w stronę miasta, jadę wolno, specjalnie najeżdżam na wyboje, utrudniam sobie jazdę, obok mnie kolebie się butelka po wodzie mineralnej, a na jej dnie maleńkie, czyste jeziorko – kilka ostatnich łyków. Oni też muszą być spragnieni - przecież nie wiadomo, ile czasu tak jadą".

Coraz więcej dzieci z dzielnicy przychodziło do mnie, żeby pożyczyć Lucy. Chciały pokazać się z nią na innych podwórkach albo u dalszej rodziny.

„Dojeżdżając do ruin, czuję przypływ sił. Przecież to miasto - myślę, patrząc na mury z oknami bez szyb. Wjeżdżam w najszerszą z alej. Tu musiały być jakieś sklepy, bary, chociaż jeden sklep, chociaż jeden bar. Nawet jeśli wszystko zostało rozgrabione, to jednak w panice jakaś skrzynka wody mogła zostać niezauważona. Jest noc i mury zlewają się w ponurą masę. Zatrzymuję samochód".

A kiedyś na granicy podwórek do drucianej siatki, w której wyszarpano dziurę wielkości małego dziecka, podszedł wysoki, blady chłopiec o psychopatycznej twarzy. Nic nie powiedział: splunął i wyciągnął rękę.

Przeciskając Lucy przez kraty, poprosiłam tylko o oddanie mi jej przed wieczorem.

- Oddamy jutro.

Od tego dnia codziennie stawał za siatką. Nie wiedziałam, dokąd ją zabiera, dla kogo i po co. Całymi dniami patrzyłam na drugie podwórko, nieprzytomna ze strachu, do wieczora wyczekiwałam Lucy.

Tak było do czasu twoich urodzin. Dlaczego jesteś Cyganem? Nie wiem tego i nigdy się nie dowiem, ale kiedy przyszedłeś i stanąłeś przede mną z rękami w kieszeniach prochowca, nie umiałam ci nadać imienia.

– Mój brat powiedział, żebyś mi oddawał Lucy wieczorami.

– Ty nie masz brata.

– Mam. Mam starszego brata, długo go nie było, ale teraz wrócił.

– Skąd wrócił?

– Nie mogę powiedzieć.

– Dlaczego?

– Bo to jest tajemnica wagi światowej.

– A kim jest twój brat?

– Mój brat jest pilotem.

– A na jakich samolotach lata?

– To jest lotnictwo podziemne. Poza tym on jest Cyganem.

Chłopak patrzył zza kraty, jak wchodzę na klatkę schodową. Silna i spokojna.

„Zbudziło mnie pierwsze światło dnia. Jest szaro i cicho. W tej ciszy jest coś dziwnego, coś niezgodnego z naturą, jakby ranek był niekompletny, jakby wyłączono dźwięk, jakby się popsuł obraz. Leżąc tam, odkrywam, że cisza jest martwa z braku ptaków. Bóg wyprowadził stąd wszystko, co stworzył – zostawił dzieło zniszczenia. W samochodzie też cicho. Jak mogłam przez tyle godzin nie odczuć obecności ludzi? Musieli być dobrze wprawieni w milczeniu. A może odeszli? Podnoszę się i otwieram drzwi. Nie jest jeszcze gorąco, na niebie różowa smuga, zniszczone mury są szaroniebieskie. Wszędzie leżą odłamki szkła. Podchodzę do plandeki, a kiedy ją odsłaniam, uderza mnie duszne powietrze, jakby samochód wypuścił oddech. W tym parującym pudle kilkanaście par oczu patrzy na mnie tak samo, jak kilka godzin temu. Wszyscy siedzą, jakby przez całą noc nie poruszyli się nawet na chwilę".

– Halo.

To nie był głos Gertrudy, ale podobny, chociaż znacznie bardziej nerwowy. Ta dziewczyna mówiła tak szybko, jakby ktoś miał nas zaraz rozłączyć.

– Dzień dobry pani, nazywam się Paula Bartoszek. Jestem córką Gertrudy Bartoszek.

– Tak, słucham.

– No więc ja właśnie w tej sprawie.

– Nie bardzo rozumiem.

– W sprawie wywiadu. Mama powiedziała, że wszystko jest w liście i pani to przeczytała...

– Nie. Jeszcze nie przeczytałam listu i nie wiem, o jaki wywiad chodzi.

– Aha. Nie ma sprawy. No to ja... To może pani najpierw przeczyta ten list od mamy, bo tak, to nie będę zawracać głowy...

– Przeczytam, jak będę miała chwilę czasu.

– Dokładnie. Super. No to nie przeszkadzam.
– Do widzenia.

„– *Come on!* – powiedziałam do jednego z mężczyzn, ale on się nie ruszył. Na litość boską, przecież jestem tu sama! Biała kobieta z karabinem, którego nie umiałaby użyć, kobieta w poszarpanej bluzce z Max Mary, której, może jako jedynej, udało się uciec z bazy. Nikt się nie rusza. Mam jeńców, którzy, jeśli dobrze rozumiem, liczyli na niewolę. Ale to jednak są ludzie i na pewno konają z pragnienia. Wracam do kabiny i ruszam wolno pustymi ulicami. Budynki bez okien z czarną pustką w środku budzą we mnie większy strach niż ludzie. Na jednym z domów widzę szyld z niezrozumiałym napisem, obok drugi – domy stoją w kręgu, a nie, jak dotąd, wzdłuż ulicy. A więc dotarłam do czegoś, co można nazwać rynkiem. Zatrzymuję samochód i podchodzę do okna z kawałkiem szyby sterczącej jak sztylet. Na podłodze rozbite dzbanki, trochę kolorowych skorup i szkła, za drewnianą ladą kredens z półotwartymi drzwiami. Czuję zapach ziół, jakaś butelka toczy mi się do stóp, ulewa się z niej biała strużka wina. Nie ma tu nic więcej, zresztą wiem, że takie miasteczka zostały ograbione, więc nawet tych kilka przedmiotów robi wrażenie. Roztrącam nogą kawałki szkła, podchodzę do drzwi prowadzących na zaplecze baru. Naciskam klamkę, ale drzwi są zamknięte".

Jak to zdjęcie znalazło się w rzeczach po Kobiecie Zawsze w Futrze? Przecież nie ma tam ani jej, ani Gertrudy. Kto jej to dał i dlaczego? List pewnie niczego nie wyjaśnia - sięgnęłam do koperty i wyjęłam stamtąd kartkę zapisaną kursywą.

Droga Misiu!
Wiem, że tego nie lubisz, powinnam napisać „Marianno", bo w końcu tak się nazywasz, ale nie potrafię.
Pragnę Cię zawiadomić o śmierci mojej mamy, którą powinnaś pamiętać. Moja mama chodziła zawsze w takim wielkim futrze i często bywała w szkole. Umarła na nowotwór płuc, ale chyba nie zdążyła się nacierpieć. Opiekowały się nią siostry zakonne, ja, niestety, nie mogłam, zresztą jakoś z tymi siostrami było jej naprawdę dobrze i mam wrażenie, że umarła szczęśliwa, jeśli tak w ogóle można powiedzieć. W każdym razie po jej śmierci zabrałam do siebie jej rzeczy i właśnie z jednego z pudeł wypadło Twoje zdjęcie z pierwszej komunii. Nie wiem, czy przez przypadek, czy przez pomyłkę jest tutaj, ale postanowiłam Ci je przesłać. Często Cię oglądam na innych zdjęciach, jesteś teraz postacią medialną i prawdziwą celebrity – muszę powiedzieć, że niezwykle wypiękniałaś, że nie masz nic wspólnego z tą grubą dziewczynką ze zdjęcia. A teraz moja prośba. Mam córkę, która, niestety, poszła w nasze ślady, na dziennikarstwo.

Moja prośba jest może bezczelna, ale czy Paula mogłaby zrobić z Tobą wywiad? To naprawdę byłoby coś. Rzecz w tym, że ona należy do tych „nadpobudliwych" i jakoś nie może skończyć żadnej pracy, nie jest w stanie się skupić, ciągle zajmuje się czymś innym. Jeśli mam być szczera, nie bardzo wierzę w tę „nadpobudliwość". Ja się bardzo boję, że moja córka w ten sposób osłania swoje lenistwo i bałaganiarstwo. Długo rozmawiałyśmy o tym, czy wolno mi wykorzystać naszą znajomość, ale co ryzykuję? Najwyżej nie odezwiesz się do mnie, czyli wszystko będzie jak dawniej, bo przecież dawniej też się nie odzywałaś. I pomyślisz, że jestem bezczelna. Niestety, nie jestem tak bezczelna, jak powinna być dobra dziennikarka, i pewnie dlatego nie zaszłam daleko w naszym wspaniałym zawodzie. Paula jest świetną dziewczyną, tylko chyba zbyt wrażliwą na ten świat. Proszę, pomóż jej wystartować, a ona już potem poleci sobie w swoją stronę. Przemyśl to. Paula zadzwoni do Ciebie niedługo i może się dogadacie. To tyle, mam nadzieję, że sprawiłam Ci przyjemność tym zdjęciem, pozdrawiam Cię serdecznie,

Twoja beznadziejna koleżanka
Gertruda

PS Zadzwonię do Ciebie, najpierw na domowy, potem na komórkę. Znam oba telefony – wiesz, my, dziennikarze, mamy swoje sposoby.

Więc list rzeczywiście niczego nie wyjaśnił. Wpatrywałam się w zdjęcie i moją uwagę przyciągał tylko jeden fragment, na samym brzegu fotografii. Kawałek szyby, za którą były bukiety z cenami, i niewidoczna gołym okiem dłoń starej kwiaciarki.

- Uważaj na siebie, maleńka...

Miała czerwoną twarz, może od słońca, może od wódki - nie wiem, pamiętam tylko, że była czerwona, ale pewnie nie poznałabym jej na ulicy, gdybym... gdybym mogła ją jeszcze kiedykolwiek zobaczyć.

To było jedno pchnięcie nożem - w każdym razie tak opowiadano w dzielnicy.

- Uważaj na siebie, maleńka. - Tak powiedziała.

Jeszcze czuję ciepło jej grubej ręki, kiedy mnie ścisnęła na pożegnanie. Wkładając mi na głowę ciężką koronę z konwalii, skupiona na kwiatach, mruczała, że kwiaty mają to do siebie, że więdną, że to są delikatne kwiaty, że owszem, jakby je skrapiać co chwila, to może i coś by z tego wyszło, ale tak... Czułam się jak manekin, któremu przekręcają głowę, i nagle... kiedy już wychodziłam, obciążona wiechciem konwalii, chwyciła mnie za rękę i powiedziała:

- ...uważaj na siebie, maleńka... - Jej obfite ciało było gorące, czułam to, pamiętam szybki, zduszony oddech...

O co chodziło? Może o komunię? Może była innej wiary? Może o moją mamę, nerwową, skupioną na sobie? Może wyczuwała moją samotność? Może wiedziała, że wszędzie i zawsze jestem sama, inna od wszystkich innych? Może czuła, jaką torturą jest dla mnie pęd zimą z góry, na sankach, obok diabłów w dziecinnych szalikach, kiedy jadąc na oślep, czuję powiew śmierci, kiedy nieuchronność pędu jest piekłem, kiedy sama na ośnieżonej kuli ziemskiej, skulona w sobie, staram się udawać, że nie istnieję. Może wiedziała to wszystko? Jej ręka drżała. To pamiętam.

Kwiaciarkę zamordowano około szóstej nad ranem.

Spod gazet wystawały sznurowane buty i grube wełniane skarpety, i było w nich więcej życia niż w białej dłoni, którą czasem odsłaniał wiatr. Około siódmej czterdzieści pięć jeszcze tam była, widziałam, bo za kwadrans ósma wychodziłam do szkoły. Nad górą przykrytą gazetami stała grupa przechodniów - wyglądali jak zaklęci. Który to mógł być rok? Ile lat, miesięcy, a może dni ma jeszcze przed sobą kwiaciarka na zdjęciu?

„Wymierzam lufę prosto w jednego z mężczyzn, daję znak, żeby wysiadł. Kiedy staje na ziemi, podnosi ręce i kładzie dłonie z tyłu głowy. Jest to trochę teatralne, jakby bawił się ze mną w jeńca i zwycięzcę. Myślę, że jeden to może za mało. Drugi wyskakuje chętniej, ale też podnosi ręce i kładzie na potylicy jak jeńcy, którzy mają przed sobą długą drogę. Podejmuję tę grę. Idę z karabinem wycelowanym w ich plecy. Musimy wyglądać komicznie. Przez chwilę zastanawiam się, czy nie poprosić kogoś z ciężarówki o zrobienie zdjęcia, bo kto uwierzy w opowiadanie o kobiecie w spódniczce i białej batystowej bluzce, z jasnymi włosami do ramion, która prowadzi pod karabinem dwóch czarnych drabów. Otwieram drzwi baru, czuję się trochę jak szeryf, w każdym razie takie właśnie głupie myśli chodzą mi po głowie, możliwe, że z upału i pragnienia. Podchodzę do drzwi i szarpię klamkę.

– *Water* – mówię. – *Drink*".

– Hallo. Gertruda?

– Tak.

– Mówi Marianna. Nie przeczytałam jeszcze listu od ciebie, ale trochę mnie męczy jedna rzecz. Może ty pamiętasz. Tam na rogu Filtrowej i Raszyńskiej była budka z kwiatami.

– No tak. Jest do dzisiaj.

– Naprawdę? Jest?

– Wiesz, tu się niewiele zmieniło. Nawet magiel jest w tym samym miejscu, co kiedyś.

– A pamiętasz kwiaciarkę? Zamordowali ją. Pamiętasz?

– Pamiętam.

– Chciałam tylko wiedzieć, który to był rok.

– A na co ci to potrzebne... piszesz coś o tym?
– Nie. Nie wiem. – To zdjęcie jakoś mnie niepokoi.
– Ale tam nie ma kwiaciarki.
– Jest. Kawałek.
– Nie mam pojęcia, który rok.
– Nieważne. Jak przeczytam list, dam ci znać.
– Moja córka nie dzwoniła?
– Dzwoniła.
– Proszę cię, przeczytaj list.
– Dobrze. Pa.

„Jeden z mężczyzn ostrożnie porusza klamką. Jego podkoszulek jest mokry od potu.

– *Open* – mówię. – *Open!* – krzyczę w stronę drugiego, podnosząc karabin. Napiera całym ciałem. Drzwi poddają się powoli, forsują je na przemian, dopracowują się wreszcie świetlistego wyłomu. Drzwi puszczają".

– Halo?

Męski, spokojny głos tak mnie zaskoczył, jakbym całe życie rozmawiała tylko z Gertrudą.

– Mówi Jacek Barecki. Ten od ociemniałych. Ja bardzo przepraszam, ale nie mogę przyjść jutro do pani programu, jestem we Wrocławiu i muszę tu zostać, niestety, naprawdę muszę... Przepraszam, zaraz mi padnie bateria.

Niewidomy człowiek, który robi fantastycznie barwne kilimy o rytmicznych wzorach, który wychowuje sam dwoje widzących dzieci. Ma mówić o swoim życiu, o temperaturze kolorów, a potem o polityce, na której się nie zna.

- Jak to pan nie może? Zapłacę za samolot! Musi pan przyjechać, nagranie zapowiedzi już poszło. „Rozmowy z Tobą" to jest więcej niż wizyta w studio, to jest zobowiązanie, niepisana umowa... czy zdaje pan sobie sprawę...

- Bardzo mi przykro - mówi cicho jak wszyscy ociemniali.

- Halo! Halo!

Nie. Nie. On oczywiście przyjedzie. Jeszcze się nie zdarzyło, żeby ktoś nawalił, chociaż moje programy są zawsze na granicy bezpieczeństwa, za to mnie kochają. Ludzie kochają, a producenci nienawidzą, zwłaszcza że robię sama wszystko to, co w innych programach robi cały sztab ludzi. Ja znajduję rozmówców, ja ich umawiam, ja...

- Halo.

- Misiu?! Gertruda. Bo... Niesamowite!!! Po pierwsze, wypadły mi jeszcze dwa zdjęcia twoje i twoich rodziców. Najpierw myślałam, że to te same, ale jednak nie, chociaż prawie takie same, i w ogóle tu jest dużo jakichś dziwnych, bardzo dziwnych zdjęć, nie wiadomo, co ktoś chciał sfotografować, po co moja mama to trzymała... No i nie uwierzysz, ale właśnie zaraz po twoim telefonie znalazłam u mamy wycinek z gazety, który dotyczy tej kwiaciarki! Zresztą tu w ogóle w tym pudełku jest dziwna zbieranina, no nieważne, grunt, że jest ten wycinek i że mogę ci powiedzieć – ona została zamordowana w maju, w 1965 roku.

– W maju? Zdjęcie też jest z maja.

– Skąd wiesz?

– No, bo to przecież komunia.

– No tak. Widzisz, jaka ja jestem głupia. A właściwie, jakie to ma znaczenie?

– Nie wiem. Pewnie żadnego. A możesz mi przysłać te zdjęcia?

– No jasne, z tym, że one są prawie identyczne.

– Nie szkodzi.

– A przeczytasz list?

– Przeczytam.

– A kiedy moja córka może zadzwonić?

– Za piętnaście minut.

– OK. Dziękuję.

– To ja dziękuję. A którego?

– Co...

– Którego maja to się stało? To morderstwo.

– Poczekaj, bo ja już odłożyłam to pudełko. Nie wiedziałam, że jest ci potrzebna konkretna data.

Za długo to trwa – myślałam, patrząc na nieskończony rozdział. Jakie to ma znaczenie, ile dni zostało jeszcze dłoni na zdjęciu?

– No. Przepraszam, że tyle to trwało, ale mam kłopot ze schylaniem się.

– Dysk? Kręgosłup?

Roześmiała się. Dlaczego ona się śmieje? To irytujące. Ludzie często śmieją się z zakłopotania. Często śmieją się przy znanych ludziach, śmieją się ze wszystkiego, nawet ze zwykłego „dzień dobry". Ludzie często się przy mnie śmieją.

– Tak. Kręgosłup.

– Mam świetnego masażystę. Trochę drogi, ale naprawdę warto.

Znowu się roześmiała. To nie do wytrzymania – myślałam. Ona mnie denerwuje. Tak, jak denerwowała wszystkich w dzieciństwie. Irytujący ludzie... Czym to tłumaczyć? Biopolem? Nieszczerością uczuć? Kompleksami?

– No, więc już mam ten wycinek... Poczekaj... „Wczoraj czternastego maja...". No, to już wiemy. Czternastego maja. Czytać dalej?

– Przeczytaj.

– „Na warszawskiej Ochocie została zamordowana właścicielka budki z kwiatami. Zmarła w wyniku pchnięcia nożem przez nieznanego sprawcę. Milicja wszczęła śledztwo. Możliwe, że powodem są porachunki w sektorze prywatnym".

– No tak. To ostatnie zdanie naturalnie należy do propagandy.

– A może to były jakieś porachunki?

– Jakieś na pewno.

– To córka zadzwoni.

– OK. Pa.

Czternastego maja. To znaczy, że na fotografii są ostatnie godziny życia kwiaciarki. Ostatni dzień jej życia. Co z tego wynika? Nic. Codziennie jakiś człowiek ginie od pchnięcia nożem i pewnie zdarza się, że na kilka godzin przed śmiercią ktoś robi mu przypadkową fotografię.

„Oprócz beczek, kilku pustych słoików i drabiny nie ma tu niczego. A więc wody też. Siadam pod ścianą i patrzę na mężczyzn, którzy ożywiają się nagle, zaczynają przesuwać półki, zaglądać do pustych szafek - oglądam ich absurdalne działania i nagle zaczynam cichutko płakać...".

Muszę mieć te zdjęcia, o których mówi Gertruda. Ona sama powiedziała: „dziwne zdjęcia". Muszę je zobaczyć.

- No cześć. Tu Marianna. Słuchaj, ja, niestety, siedzę nad robotą i nie mogę się ruszyć. Mogłabyś mi podesłać te zdjęcia albo wpaść do mnie na chwilę? One nie dają mi spokoju po prostu.

Cisza. Bardzo, bardzo długa cisza. To, co powiedziałam, nie wymagało chyba tak długiego namysłu. Ta kobieta naprawdę nie może być dziennikarką.

- Halo...

- Co? A tak... wiesz, ja nie bardzo mogę przyjechać.

– A co się takiego dzieje, mówiłaś, że nie masz pracy?

– Nie mam, ale... nie bardzo mogę przyjechać.

– Aha.

To się po prostu nie mieści w głowie, żeby mieć do kogoś prośbę tak bezczelną, jak ta sprawa wywiadu, a jednocześnie odmawiać tak drobnej przysługi.

– Dobrze, ja podeślę do ciebie taksówkę, podaj mi adres. Jesteś w domu?

– Tak. Ja zawsze jestem w domu.

– Jasne. No to podaj adres.

– Mój adres się nie zmienił. Mieszkam tam, gdzie zawsze. Lenartowicza 36 mieszkania 14. A kiedy będzie ta taksówka? Bo muszę się ubrać i tak dalej...

– Za jakieś pół godziny, więc to chyba dość czasu, żeby się ubrać.

– Mam nadzieję.

– No to ja zamawiam taksówkę.

– Dobrze. Czekam. Pa.

„Leżę pod tą ścianą i czuję się jak szmaciana lalka rzucona na śmietnik. Lalka z karabinem, której efektowne losy skończą się na pustym zapleczu baru w nieistniejącym mieście, pośród beczek domowego wina. Kiedy mężczyźni rezygnują z poszukiwań i podchodzą do mnie, chwytam ciemną dłoń i daję się podciągnąć do góry. Wychodzimy. Na dworze jest już biało od skwaru, słońce wbija się w oczy, parzy skórę. Nasza ciężarówka stoi niedaleko, ale wydaje się czymś nierealnym".

- Halo.

- Dzień dobry, mówi Paula Bartoszek.

- Dzień dobry.

- Czy przeczytała pani list mamy?

- Przeczytałam. I proszę mówić trochę wolniej, nie jest pani z kreskówki.

- Przepraszam... Aha. I czy... Czy...

- Słucham.

- Czy spotka się pani ze mną? Halo?

- No więc, dziecko, nie spotkam się z tobą, nie dam ci tego wywiadu, a mamie powiedz, że robię to dla twojego dobra... Kończę, bo pracuję, dziecko, ciężko pracuję, czego i tobie życzę, przepraszam, muszę kończyć, bo ktoś dzwoni domofonem.

Zawsze zakładam się ze sobą, jaki będzie taksówkarz. Wyobrażam go sobie razem z całym jego życiem. Ten będzie starszym siwym panem o rysach intelektualisty. Był dyrektorem fabryki mebli, życie go przerosło, rzuciła żona, więc teraz jest chudy, przeblady i jeździ na taksówce. No i jak zwykle przegrałam: taksówkarz był niski, grubawy i wyglądał, jakby trafił tu prosto z pola.

- To ja - powiedział z radosnym uśmiechem, zasapany.

– Nie wsiadł pan do windy?

– Eee tam, z windami – machnął ręką. – Człowiek się zatrzaśnie i siedź potem godzinę, aż dranie przyjadą. To dla pani paczuszka, a dla mnie 45 złociszów. I jeszcze autografik, jakby pani mogła, o tu.

Kartka z naklejonym zdjęciem „mojej twarzy" jest trochę pomięta.

– Szumu pani wtedy narobiła!!! A „Rozmowy z Tobą" oglądamy z żoną obowiązkowo. Tak myślę czasem, czy nie przydam się pani do programu, zależy mi. A mój dziadek sybirak był, a ojciec w wojnę sam parę granic przeszedł, a ja znowu w Klubie Samotnych Serc się udzielam po śmierci ojca, bo był honorowym członkiem, to trochę im tam gram na harmonii, tak amatorsko, ale z duszy, jak to mówią. Mogę pani podegrać, jakby co. Człowiek swoje przeżył, a umrze, jakby go nie było. To jak się pani zdecyduje, proszę na taxi zadzwonić, ja numer czternasty jestem, to mi przekażą, jakby co. No i jeszcze ta pani prosiła powiedzieć, że jej smutno czy coś w tym sensie, że przykro chyba. Że przykro, że nie mogła sama przyjechać, ale jasna sprawa, że nie mogła.

– Bo jeszcze nieubrana, tak? – Szukanie pieniędzy w torebce jest jednym z bardziej upokarzających zajęć. Normalni ludzie mają portfele, a ja mam zawsze wielkie torby jak puste brzuchy, w których grzechoczą najprzeróżniejsze przedmioty, ale nigdy te, których szukam. Pieniądze osiadają na dnie, i żeby je wyłowić, trzeba się przebić przez kłujące przeszkody.

– No, jeszcze w szlafroczku, biedna. Ale faktycznie, że taka kobieta powinna mieszkać w innym domu.

– Jak to w innym? Pięćdziesiąt złotych reszty poproszę.

– Stare domy nie mają podjazdów i tych, wie pani, udogodnień. No to, jak ktoś na wózku, to nie zjedzie ze schodków przed domem.

– Na wózku?

– Ja o tej pani przyjaciółce mówię. O tej na wózku.

– Aha. Dziękuję. Do widzenia panu.

Wstyd jest jak wódka. Pali w żołądku, płynie przez żyły, mąci wzrok, oddziela cię od ciała i zatrzymuje czas. Przez chwilę siedzę bez ruchu, trochę to potrwa, zanim pogodzę się z faktami. Zanim posadzę na wózku Gertrudę w Zagranicznych Rajstopach, Gertrudę przylepioną do muru jak ważka, Gertrudę na czubku drzewa, Gertrudę sunącą po podłodze w czeskich kapciach.

– Halo? Paula? Mówi Marianna Partyka.

– Tak. Jestem.

– Spotkam się.

– ...Naprawdę? O Boże! Super...! Naprawdę...? Kiedy... jeśli to... bo ja oczywiście dostosuję się do każdego dnia...

– Dzisiaj.

– Dzisiaj?

– Czy pani mnie źle słyszy?

– Nie... tylko... myślałam, że za parę dni... ojej... może miesięcy...

– Za parę miesięcy może nie będę już żyła.

– Tttak?

– Jadę do Azji.

– Tak wiem... wiem oczywiście...

– A skąd pani wie? (Boże, jaka ja jestem ohydna!).

– Czytałam.

– Tak? A ja jeszcze o tym nigdzie nie pisałam. No dobrze, więc możemy się umówić dzisiaj wieczorem około dziewiętnastej, czyli za trzy godziny.

– Pewnie w Bristolu? Bo wiem, że pani tam się umawia.

Umawiam się, ale nie z siksami, które zabiegają o rozmowę. A zresztą...

– Dobrze, w Bristolu. Do widzenia.

Na kopercie, którą przyniósł taksówkarz, skreślono flamastrem jakiś adres i napisano: „Dla Marianny".

Wyjmuję z koperty dwa czarno-białe zdjęcia, kładę na stole, obok to pierwsze, i oglądam krótką, czarno-białą historyjkę. Zdjęcie pierwsze. Idę z rodzicami ulicą Filtrową. Patrzę w kierunku fotografa, ale nie na niego, tylko w głąb ulicy.

Zdjęcie drugie. Patrzę przed siebie w kierunku budki z kwiatami, którą na tym zdjęciu widać wyraźniej. Widać nawet sylwetkę kwiaciarki, która rozmawia z klientem.

Zdjęcie trzecie. Tutaj widać budkę wyraźnie, widać też kwiaciarkę i mężczyznę, który wyciąga ku niej rękę.

Kadry są dziwnie przekrzywione, jakby ktoś nie umiał robić zdjęć, a chciał je zrobić tak szybko, jak pozwalał na to tani aparat fotograficzny z tamtych lat.

Już wiem! Wiem, co mnie niepokoi.

Pierwsze zdjęcie jest ostre. Ja i rodzice znajdujemy się w jego centrum. Natomiast na dwóch pozostałych nasze sylwetki są marginalne, rozmyte, w centrum jest budka z kwiatami. Tutaj wyraźnie widać kwiaciarkę i jej klienta. To jakiś mężczyzna w płaszczu. Fotograf (?!) wcale nie chciał pamiątki z wymarszu do kościoła, właściwie nie wiadomo, czego chciał i po co w ogóle wyjmował aparat. Zdjęcia są krzywe, pospieszne, rozmazane – ten ktoś był wyjątkowo nieudolnym fotografem, może po prostu dostał aparat i eksperymentował na słonecznej ulicy? Ale co te zdjęcia robiły w pudłach po mamie Gertrudy? Jakoś nie umiałam sobie wyobrazić, że ona bierze aparat i pstryka na oślep.

Wkładam zdjęcie do skanera. Kursor laptopa prowadzi mnie na środek zdjęcia, do szklanych ścian, do nieokreślonych kwiatów za szybą i dwóch sylwetek. Jedna z nich, gruba i ciemna, z wielkim czarnym kokiem, ma przed sobą dzień życia. Jej twarz nawet w zbliżeniu jest ledwo widoczna –

jednak widać, że usta ma otwarte, jakby krzyczała, rozłożone ręce, może podaje cenę kwiatów, może tłumaczy, jak o nie dbać, chociaż nie sądzę, żeby ten mężczyzna o to pytał. On zresztą w ogóle nie pasuje do kwiatów. Ma nieobecną twarz, wygląda tak, jak wyglądają portrety pamięciowe. Jest pozbawiony właściwości, może tylko... w oczach ma coś asymetrycznego. Patrzy na krzyczącą kwiaciarkę, jakby nie widział jej stanu. Wyglądają jak fotomontaż.

Koniec z tym! Koniec! Koniec!

„Mężczyźni zatrzymują się nagle. Patrzą w stronę jednego z szyldów, zwisających z ruin. Jeden z nich rusza i znika w czeluści rozwalonego domu. Zostaję z tym drugim, przytulam głowę do twardej harmonii żeber, do szarego podkoszulka przesiąkniętego potem. Sięgam temu mężczyźnie trochę powyżej pasa i właściwie nie znam jego twarzy, nieśmiało patrzę w górę, ale on stoi, jakby mnie nie było. Reaguje dopiero wtedy, kiedy pierwszy z mężczyzn pojawia się w drzwiach. Najwyraźniej podniecony, pokazuje palcem na dom, znika w głębi i nagle pojawia się ze zgrzewką wody mineralnej. Nigdy nie zapomnę jego białych zębów.

Kiedy wchodzimy do środka, rozglądam się po pokoju – po sypialni człowieka, który starannie ścielił swoje łóżko, kiedy burzono miasto. Pod jedną ze ścian stoją cztery zgrzewki wody mineralnej. Jakim cudem? Mężczyźni chwytają je i szybko wynoszą przed dom. Wracają zaraz - patrzę, jak wysuwają szuflady, otwierają drzwiczki szafek, zaglądają pod łóżko. W jednej z szuflad znajdują widelec i nożyczki, w szafkach nie ma nic, oprócz pustych słoików i zgniłego, poszarpanego swetra. Widzę, jak ogarnia ich coś w rodzaju narkotycznego transu, jak wysuwają kolejny raz tę samą szufladę, jak wspinają się na palce, żeby sprawdzić, czy nie ma czegoś na szafie. Siadam pod ścianą i popadam w rodzaj letargu, jakbym oglądała film. Moja wewnętrzna kamera przesuwa się po pokoju, zatrzymuje się na białych ścianach, na łóżku, na podłodze... w szerokich, ciemnych deskach widzę coś w rodzaju małej podkowy. Kładę się i szarpię klapę, która skrzypiąc, opada na podłogę i ukazuje chłodny dół, do którego prowadzą kamienne schody".

Patrzę na kopertę, w której jest jeszcze tylko kilka zdjęć, wyjmuję pierwsze z brzegu. Ale na nim właściwie nie ma nic.

Nic nie ma, tylko fragment ulicy, witryna sklepu z napisem „Mięso". Sklep z mięsem przypomina publiczną łaźnię albo burdel z filmu Antonioniego *Rzym*. Wkładam zdjęcie do skanera, na ekranie pojawia się plama ciemna jak chmura. To czeluść bramy, wejście na moje podwórko Ze szczelin chodnika wyrastają małe liściaste łodygi. Brama jest w centrum fotografii. Sądząc ze światła, to ranek. Nic tutaj nie widać. Nic poza bramą.

Na następnych zdjęciach widzę stłoczonych ludzi, niektórzy na czubkach palców, podnoszą do góry małe dzieci, wysoko, ponad tłum, ponad wielki napis „Obuwie".

Za szybą ruch. Kłębowisko.

– Mierz! Mierz! – Nerwowe komendy matek. Same kobiety. Ocierają pot rękawami zmiętych płaszczy.

– Dobre?! Dobre?! – Brzmi jak błaganie.

Buty fruną w stronę lady. Dziesiątki rąk po jedną parę. Buty jak ciasne cele. Ból stóp. Towarzysz życia.

Przeglądam każdy milimetr zdjęcia i wypatruję siebie. Być może jestem za szybą, tam gdzie zapach potu łączy się z tanimi perfumami, gdzie nieprzytomni ze zmęczenia bujaliśmy się jak na pokładzie trzeciej klasy.

Wkładam zdjęcie do skanera, powiększam obraz i widzę dłoń zaciśniętą na czyimś płaszczu, jakby kogoś odpychała z wysiłkiem. Dłoń kobieca, smukła, szlachetna. Widzę na tej dłoni żyłki nabrzmiałe z wysiłku, a paznokcie w kształcie migdałów wbijają się w jasny materiał. Idę za tą dłonią, najeżdżam na zbliżenie twarzy. Kobieta krzyczy. Nie wiem, czy to krzyk triumfu, czy bólu, ale ta twarz ma piętno okrucieństwa, jakiego nigdy nie widziałam. Ta kobieta to moja matka. W drugiej ręce, podniesionej do góry, trzyma parę kozaków.

Następne zdjęcie wkładam od razu do skanera.

Przed witryną sklepu stoi milczący szereg profili. Wyglądają jak ślepcy albo płazy, które udają kamień. Poznaję profile dozorcy, mamy Ani, manicurzystki, Piotrusia, Wdowy po Pisarzu... Czeka ich wielogodzinny letarg.

– Za czym pani stoi?

– Nie wiem.

– To ja będę za panią.

Za szybą widać białą postać – jest osłonięta odblaskami światła, ale wiem, pamiętam, że ma oczy dzikiego ptaka i jest otyła od ciągłego podjadania szynki, którą chowa pod ladą. Cały dzień będzie powtarzać: „Nie ma, nie ma, nie ma".

Czuję zapach chloru i krwi.

Przesuwam kursor w ciemną czeluść bramy. W głębi widać postać małej, pulchnej dziewczynki w szkolnym fartuchu. To ja. To z całą pewnością ja.

Czuję mrowienie na karku.

Kolejne zdjęcie jest chyba fotografią nieba. Widzę tu coś w rodzaju mgławicy i dopiero po chwili rozróżniam w dymie papierosów kontury krzeseł i sylwetek. I raczej tylko się domyślam, że to wnętrze mojej kawiarni – kawiarni Halinka. Pilnie wpatruję się w ekran i szukam dziewczynki w szkolnym fartuchu. Jest. Podnosi do ust kawałek ptysia, z którego wylewa się bita śmietana. Nie widać dobrze twarzy, jest zwrócona profilem, nie patrzy w stronę kąta kawiarni, z którego ktoś robi to zdjęcie. Musiało być zrobione stamtąd, a przecież...

Nikt z tamtego miejsca, gdzie zestawiano dwa stoliki, nie oglądał się za siebie. Tam siedziały milczące dziewczyny w ciemnych okularach. Ich krótkie wybuchy śmiechu krzyżowały się w środku koła, ich urywane rozmowy, ich szyfry były ledwo słyszalne zza szarej ściany dymu. Dziewczyny, którym chłopcy kładli dłonie na ramionach. Dziewczyny, które piły tanie wino, jeździły drogimi samochodami, podcinały sobie żyły w wannie i pływały nago w fontannach. Dziewczyny z włosami spiętrzonymi w gniazdo.

Nikt z tamtego kąta nie mógł zwracać uwagi na dziewczynkę w szkolnym fartuchu, wpatrzoną w nich wszystkich, a zwłaszcza w chłopaka z długą grzywką, który trochę, troszeczkę przypominał Paula McCartneya. Miał zagraniczną, czarną, skórzaną kurtkę i gitarę, którą nosił ze sobą. Zawsze widziała go z gitarą, a widywała często, coraz częściej, nie było dnia, żeby nie starała się go zobaczyć...

Odsuwam się od komputera, bo kręci mi się w głowie i czuję się trochę słabo, jak wtedy, kiedy zapach czarnej skórzanej kurtki mieszał się z zapachem pierwszych dni wiosny, kiedy z bramy naprzeciw mojego domu wyszedł wysoki, młody mężczyzna. Miał długie nogi, jak biegacz, czarną skórzaną kurtkę i grzywkę... grzywkę do samych brwi!

Wszedł do kawiarni. Nie zwrócił uwagi na dziewczynki, które... piszczą, chwytają się za ręce, próbują złapać oddech... W dzielnicy zdarzył się cud. Z jakiejś przyczyny pojawił się tu trójwymiarowy, dotykalny, realny polski... John Lennon! John!

– Nie! On ma włosy Johna, ale twarz Paula! No – zupełnie!

– No dobrze. To niech będzie Paulojohn.

Codziennie, kiedy wracałyśmy ze szkoły, wchodził do kawiarni. Nie widział, że wchodzę tuż za nim, że siadam przy stoliku pod oknem i staram się nie patrzeć w stronę, gdzie z każdą chwilą robi się gęściej od ludzi i dymu.

„Mężczyźni skaczą w dół, ignorując schody, przy ich wzroście niepotrzebne. Słyszę ich śmiech – śmiech radości. Potem widzę, jak powoli unosi się owinięta w błyszczący plastik kolejna zgrzewka wody. Było ich kilka, a kiedy wynieśli wszystkie, czuję, że taka chwila długo się nam nie trafi, i może dlatego wyciągam rękę i mówię:

– Marianna. Marianna – powtarzam, ale obaj odwracają głowy. Imię to dla nich coś innego niż dla Europejczyka. Podanie ręki też. Nie reagują, kiedy kieruję się ku drzwiom i wychodzę. A na zewnątrz... Nie ma czterech zgrzewek, które tam zostawiliśmy. Wracam. Pokazuję drzwi.

– *No water*".

Dziewczyna Paulojohna, blondynka w ciemnych okularach, była jak dwie krople wody podobna do

Brigitte Bardot. Tak przynajmniej wtedy uważałyśmy. Jak dwie krople wody. I była... była córką kwiaciarki! Skąd to wiedziałam? Może z podwórka, przecież wszystko wiedzieliśmy z podwórek, one powtarzały sobie każdy, najdrobniejszy szczegół, jakby historia mieszkańców dzielnicy mogła się do czegoś przydać. Obok Paulojohna siedziały zwykle dwie dziewczyny - jedna o ciemnych włosach, błyszczących jak jedwabny materiał. To Dziewczyna z Zagranicznymi Włosami - tak ją nazywałyśmy - i Basia, czyli Bardotka.

Kochałam ją za zagranicznie zgrabną sylwetkę, za usta jak u Brigitte Bardot, za ciemne okulary. Pewnego dnia na ulicy podeszła do mnie, szepnęła:

- Pozdrów swojego brata - powiedziała i pocałowała mnie w policzek.

Długo jeszcze pachniałam cieniem zagranicznych perfum.

„Zabieramy zgrzewki, które zostały i idziemy w stronę ciężarówki. Zbliżamy się coraz szybciej - chyba wszyscy myślimy o tym, że kiedy odsłonimy plandekę, oni zobaczą te butelki, ja myślę głównie o kobietach, które za chwilę uwolnię - nie wiem, czemu liczę na ich wdzięczność, przecież one chyba nie mogą odmówić przyjęcia wody? Dochodzimy do samochodu, wyrywam się naprzód i odsłaniam ciemną przestrzeń ciężarówki. Po kilku sekundach wpada tu słońce i oświetla drobinki kurzu. Stoimy dość długo, wypatrując ludzkich sylwetek. Ale tam nie ma nikogo".

– Halo.

– Cześć, tu Paweł.

Producenci telewizyjni zawsze mówią tak szybko, żeby nie było miejsca na wtrącenie argumentów.

– Włącz telewizor, o dziesiątej trzydzieści idzie powtórka „Rozmów z Tobą". Ostatni raz zapraszasz ludzi, o których nic nie wiem. Co z tego, że facet zwiedził świat w poszukiwaniu nieznanych mostów, że zna każdą kładkę w Afryce, kiedy nie umie powiedzieć słowa przed kamerą!

– No, bo on żyje sam i siłą rzeczy niewiele mówi.

– A co mnie to obchodzi! Kto ma czas na to, żeby patrzeć na faceta, który zastanawia się pięć minut, zanim powie jedno słowo! A ty, zamiast mu pomóc, gapisz się zachwycona, że facet milczy!

– Ale ja właśnie takich lubię. Niemedialnych.

– A wiesz, że... no, zresztą nic. Obejrzyj to.

Wiem, co chciał powiedzieć. Że mój czas minął. Oboje to wiemy, a ja to wiem nawet lepiej. Od miesięcy już robię rzeczy, które mnie samą zaskakują, pewnie po to, żeby przyspieszyć decyzje innych.

Mój telewizor zajmuje pół ściany, ale nie muszę w niego patrzeć, wystarczy, że spojrzę w wielkie lustro, gdzie odbija się cały ekran, nawet nie odwracam głowy. Zresztą telewizora też nie włączam.

Nasz pierwszy telewizor był pękaty jak skrzynia.

– Misiu! Misiu! Chodź na chwilę! Gertruda w telewizji! – Dobiegłam do telewizora, ale Gertruda mignęła tylko przez chwilę, stała na estradzie, tak chuda, że mikrofon zasłaniał jej sylwetkę. Kiedy zniknęła, chciałam do niej zadzwonić, już szłam w stronę korytarza...

– Misiu! Zobacz, czy to nie ten chłopak, który tu czasem chodzi? – Tym razem na ekranie dobrze było widać cztery sylwetki na tle napisu:

FESTIWAL MŁODYCH

Niestety, nie było głosu. Chłopcy potrząsali rytmicznie głowami, chybocząc się z prawa na lewo i nagle kamera pokazała jednego z nich. Twarz na cały ekran, usta wypuszczały kłęby pary. Paulojohn! Poruszał ustami dość wolno, pewnie piosenka była spokojna, widać było napięcie, oczy szeroko otwarte, jakby się czegoś bał. Cztery sylwetki zgięły się w ukłonie. Kamera pokazała ludzi ziewających, popatrujących na zegarki.

„Teraz ruiny miasta są tym, czym bywa milcząca dżungla. Mężczyźni są niespokojni, co jakiś czas zaglądają do ciężarówki, jakby wierzyli, że tamci po prostu znów się pojawią. Siadam na ziemi. W zasadzie niczego to nie zmienia - i tak jesteśmy poza czasem, poza światem. Tkwimy tu bez pomysłu na przyszłość - cała nasza czwórka: dwaj mężczyźni, ciężarówka i ja".

Kiedyś do kawiarni wszedł Wojacki. Zrobiło się cicho, miałam wrażenie, że nawet dym przestał krążyć. Wtedy nagle Paulojohn wstał, usiedli razem przy stoliku pod oknem.

Minęło kilka tygodni. Już musiało być cieplej, bo założyłam sandały, które bardzo mnie cisnęły, ale tylko one nadawały się na koncert.

Wojacki podbiegł do mnie, kiedy wracałam ze szkoły. Widziała to cała ulica. Podbiegł, dobiegł, zabiegł mi drogę... jakkolwiek to nazwać, zupełnie nie pasowało do Wojackiego.

- Misiu! Załatwiłem ci bilety na koncert finałowy Festiwalu Młodych. Już powiedziałem mamie, że się tobą zaopiekuję. Zamówię ci taksówkę.

I szepnął:

- Masz dwa bilety. Przyjdziesz z bratem?

- Tak. Przyjdę z bratem.

Brat zachorował. Choroba lotników podziemnych. Bardzo niebezpieczna. Wzięłam ze sobą Annę i jechałyśmy taksówką, trzymając się za ręce, myśląc o tym, że za chwilę znajdziemy się w środku cudownego piekła, że będziemy tańczyć w fotelach jak dziewczyny za granicą, będziemy szarpać bluzki, robić histeryczne łuki, płakać i odrywać guziki.

Weszłyśmy do Sali Kongresowej w Pałacu Kultury. Większość widzów była w wieku naszych rodziców. Mężczyźni lekko spoceni pod garniturami z elany patrzyli przez ramię ziewającym żonom.

– Witam państwa! – Głos Wojackiego zawsze brzmiał jak piosenka. – Za chwilę poznamy zwycięzcę Festiwalu Młodych...

Huk big-beatu, skrzyp mikrofonów i nieznośnie pomarańczowe światło.

Otoczyłam się mgłą. Pojechałam na wyspę Tajtaio, byłam kimś przedtem i kimś potem tak długo, aż obudził mnie dziewczęcy głos. Przy mikrofonie stała jakaś drobna istota i śpiewała tak czysto, tak prosto, tak pięknie, że sala długo jeszcze milczała, zanim zaczęły się brawa. Gertruda kłaniała się nieporadnie, chuda i skulona, ale publiczność szalała. Wojacki nie umiał jej uciszyć. Rozkładał ręce, wspinał się na palce, szczerzył zęby... Trudno było zrozumieć zapowiedź, kiedy przy akompaniamencie tamtych braw weszli na scenę czterej chłopcy, a wśród nich Paulojohn. Pamiętam, że wszyscy mieli na szyjach aparaty fotograficzne.

Foto foto foto foto fotografie
A ja foto foto foto nie potrafię...
Nie mam zdjęcia twojej twarzy
Twoja twarz tak mi się marzy...

Pamiętam jeszcze, że w czasie refrenu podnosili do oczu aparaty, jakby robili zdjęcia, i że nie dopuszczałam do siebie myśli, jak bardzo mi się to nie podoba. A kiedy... kiedy ogłoszono zwycięzcę... kiedy... kiedy okazał się nim Paulojohn i jego grupa, byłam chyba jedyną osoba, która wstała i biła brawo, zresztą krótko to trwało, bo nagle na scenę weszła... Henia.

Henia weszła na estradę. Zawadziła o kable kamer, objęła bukiet, który zasłonił jej twarz, dostała statuetkę w kształcie smoka, kręciła się w kółko, nie widziała nic spoza kwiatów, wreszcie podszedł do niej Paulojohn, dał jej mikrofon, wziął statuetkę, wziął mikrofon, pocałował Henię w policzek, podniósł ją do góry, twarz Heni pojawiała się i znikała w błyskach fleszy... Ciasnym kołem otaczali ich dziennikarze.

– Zostałam wybrana. Żeby mu wręczyć nagrodę. – Bardzo niechętnie odpowiadała na nasze pytania.

– Jak? W jaki sposób? Gdzie były te wybory?

– Wojacki przyszedł do mojego ojca. Długo rozmawiali. I potem ojciec mi powiedział, że będę w telewizji. Ja nie chciałam. Powiedział, że muszę.

„Nie, nie miałam siły prowadzić. Nawet nie wiem, który bierze ode mnie te kluczyki, a już zupełnie nie rozumiem, dlaczego wsiadam z tyłu, dlaczego wchodzę na platformę. Być może ten, który idzie za mną, też nie rozumie, dlaczego nie siada obok kierowcy. Może chodzi po prostu o to, żeby leżąc, kołysać się na drodze? Zasypiamy jednocześnie".

...Zjeżdżaj, mała.

– Zjeżdżaj mała – powiedział kiedyś Paulojohn.

Ja tylko podałam popielniczkę. Po prostu trzymał papierosa, który wypalał mu się w ręku, za chwilę poparzyłby palce, może wypaliłby dziurę w kurtce, więc tylko postawiłam popielniczkę na jego stoliku. „Mała" – powiedział. A więc przynajmniej widział, że jestem mała, przynajmniej mnie zauważył. Najważniejsze, że miał popielniczkę.

– Zjeżdżaj, mała – powiedział, bo był zły, bo siedział sam ze swoją gitarą, bo wszyscy już poszli, bo został tylko dym i odsunięte krzesła. Nie wyszedł z nimi, bo pewnie chciał zostać sam. Bo... jeszcze przed chwilą dziewczyna krzyknęła na całą kawiarnię:

– To nie jest twoje dziecko! To dziecko Cygana!

A Dziewczyna z Zagranicznymi Włosami objęła ją i pocałowała w policzek.

Potem wszyscy nagle wstali. Krzesła szurały, przemieszczając się w dymie, czuło się miłe podniecenie, przypływ energii.

– Zjeżdżaj, mała – powiedział. A ja tylko podałam mu popielniczkę.

Zapłaciłam za swoje ptysie, zostawiłam za sobą zapach papierosów i puste kieliszki po winie. To było silniejsze ode mnie. Trzymałam się kilka metrów za nimi - szli, jakby chodnik był pokładem statku, od jednego końca do drugiego. Dziewczyny uwieszone u ramion chłopców co chwilę wybuchały śmiechem. Z czego się śmiały?! Oddałabym wszystko, żeby poznać tajemnicę śmiechu w pijanych grupkach. W jakichkolwiek grupkach.

Doszliśmy do fontanny, gdzie naga, kamienna kobieta trzymała naczynie, z którego tryskał strumień i spływał jej po udach. Pierwsza naga kobieta w moim życiu. Stanęłam za rogiem, ostrożnie wychylając głowę, i wtedy w ciemności oświetlonej latarnią zaczął się taniec cieni. Swetry, spodnie, spódnice, bluzki, staniki i majtki mijały się w powietrzu i spadały na ziemię, a potem pięć nagich sylwetek stanęło na brzegu fontanny. Najpiękniejsze stworzenia wszechświata. Skakały jedno po drugim, tafla wody pękała na tysiące drobinek, dziewczęta pływały, zanurzając i wychylając głowy, zostawiały za sobą świetliste obręcze...

- Zjeżdżaj - powiedział i popchnął mnie lekko.

Nawet nie słyszałam jego kroków, musiał iść tuż za nami wszystkimi.

- Zjeżdżaj - powiedział i musnął mnie rękawem kurtki.

„Szarpnęło tak, że musieliśmy się objąć, żeby nie wypaść z samochodu, który stanął, dudniąc jak spadające pudło. Słyszę, jak drobne kamyki uderzają o plandekę, słyszę trzask drzwiczek od strony kierowcy. Na pewno skończyła się benzyna, a on idzie nam to powiedzieć. Ale nikt się nie zjawia. Jednak poznaję jego głos - mówi coś podniecony i sztucznie radosny, nic nie rozumiem, ale w ciemności zmysły się wyostrzają, czuję więc wyraźnie, że ten człowiek udaje. Mówi za głośno, za wesoło, jakby zbyt przyjaźnie. Tuż obok słyszę jakiś chrobot, coś szura, zaczepia o deski. Mężczyzna, który jedzie ze mną, przyciąga do siebie mój karabin. Kiedy odsłaniają plandekę, ten mężczyzna celuje we mnie. Nigdy nie widziałam tak przerażonych oczu".

- Halo. Gertruda? No, to ja. Przepraszam, ale myślę ciągle o nas tam wtedy... Pamiętasz Paulojohna? Wiesz może, co się z nim dzieje?

Cisza. Ta sama dziwna cisza, jak wtedy, kiedy zapytałam o Lucy. Umiem rozróżniać ciszę, nauczyłam się tego w dżungli, na pustyniach, w ruinach miast.

- Nic ciekawego. O ile wiem, mieszka tu ciągle i bywa tam gdzie zawsze.

- W naszej kawiarni? W Halince?

- Tak. Ale to już nie Halinka, tylko Okienko. Przesiaduje tam codziennie, wygląda na to, że nie ma nic do roboty.

– Czyli tak, jak zawsze?

– Chyba tak.

Chłód. Niechęć. Gertruda milczała o nim jak kobieta o kochanku, który ją porzucił.

– Kim on jest właściwie? No wiesz, mam na myśli zawód, nie wiem: pasję, powołanie, przecież musi z czegoś żyć? Jak ma na imię? Na nazwisko?

– Nie mam pojęcia. Widywałam go tylko, jak wchodził do kawiarni albo jak łaził po ulicach...

– Nic więcej o nim nie wiesz?

– Nic.

– OK.

Dziwnie brzmiał głos Gertrudy...

„Oszołomieni światłem spadamy na ziemię. Wszystko teraz dzieje się w zawrotnym tempie. Kierowca z miejsca przejmuje karabin i szturcha nim tamtego mężczyznę, który bez zdziwienia podnosi ręce do góry. Robię to samo. Jedyne, co widzę, co udaje mi się zapamiętać, to jakiś rodzaj pałacyku, ale bez ogrodu, tylko spalone trawy. Pałac jest od dawna opuszczony. Jacyś tutejsi kierują nas jednak nie tam, ale do ogromnego namiotu obok".

– Halo. Paula? Mówi Marianna. Zmieniłam zdanie.

– O, nie!

– Spotkamy się jutro, ale nie w Bristolu, tylko w kawiarni Halinka.

– W jakiej?

– Halinka.

– No super, ale ja nie wiem, gdzie to jest. Może mi pani powiedzieć?

– Mogę. Ale nie powiem. Musisz ją sama znaleźć.

– OK. Ale... w Warszawie może być kilka Halinek.

– A ty znajdziesz właściwą. Ten zawód polega głównie na szukaniu rzeczy nie do znalezienia. A my nie mówimy o kryjówce Bin Ladena, a o kawiarni Halinka. No dobrze, powiem ci tylko tyle, że to na Ochocie.

– Super.

– No to o 14.00 w Halince. Mama... mama jest na wózku?

– Tak. Spadła ze skały w czasie wspinaczki. Pani o tym nie wiedziała?

– Nie. Nic nie wiedziałam.

– No, przecież mama to jest Gertruda Bartoszek! Nie słyszała pani o niej? Była cała akcja, żeby mogła pracować w radiu, ale nie dało rady, tam nie ma podjazdów. No tak, nie wie pani, bo to było wtedy, kiedy świat się za panią modlił.

– No, to do zobaczenia.

– Super.

„Popychają mnie do namiotu, szturchają lufą w plecy, a ja zastanawiam się, jakim cudem, po co ktoś zbudował tam taki pałac. Wygląda jak stara willa na przedmieściach Warszawy. «Tu mieści się sztab» - myślę, chociaż nie mam pojęcia, jaki sztab, i czym miałby dowodzić, zwłaszcza że «sztab» kojarzy się z mundurami i stukotem oficerskich butów. Ktoś szarpie mnie za ramię i otwartą dłonią uderza w tył głowy - nie jestem tu po to, żeby podziwiać architekturę. Wielki namiot stoi obok budynku jak zagubiony pojazd kosmitów".

Tamten pałac na pustyni był podobny do kina Ochota. Te same kolumny, półokrągła fasada, a przede wszystkim schody - spękane, białe, wysokie.

Idę po tych schodach między cienkie kolumny, mam na sobie szkolny fartuch, na plecach dźwigam tornister, jest późne popołudnie...

Chciałam być sama jak każdy, kto kocha kogoś nieosiągalnego, i pewnie dlatego poszłam do kina. Było mi wszystko jedno, na co idę, najważniejsze, że dozwolony od dwunastu lat i kasjerka bez problemu sprzedała mi bilet.

I nagle tuż za mną... takie rzeczy zdarzają się tylko zakochanym... do kina wszedł Paulojohn. Pewnie też chciał być sam. To było wtedy, kiedy jego dziewczyna miała już brzuch tak duży, że mówiło się o tym w całej dzielnicy.

Sala kinowa była prawie pusta, usiadłam na swoim miejscu, marząc, żeby on miał miejsce koło mnie, nawet chyba zaczęłam się tego bać. Światła gasły, pojawiła się czołówka Kroniki Filmowej i wtedy ktoś usiadł za mną. Dobrze znałam zapach czarnej skórzanej kurtki. I tylko ten zapach pamiętam. Dwie godziny bliskości w ciemnej sali.

- Halo.

- Tu Gertruda. Przepraszam, że przeszkadzam, ale... Czy... czy... nie mogłabyś do mnie przyjechać? Po prostu znalazłam coś, czego ja... z czym jakoś nie umiem dać sobie rady. Nie. Nie możesz przecież przyjechać. Przepraszam, to właściwie nic takiego.

- Ale co to jest, to nic?

- Negatywy.

- I co?

- I... no, po prostu... jakoś mi z tym dziwnie. Bardzo dziwnie. Ale nic, ja oczywiście jakoś to sobie ułożę, w sumie nie mam nic lepszego do roboty, nie zawracam ci głowy...

- Poczekaj. Spokojnie. I co tam jest na tych negatywach?

- No właśnie... Nic. Zupełnie nic. Tylko tak mogę to określić. Musiałabyś sama zobaczyć.

- No dobrze, ale nawet jeśli nic, to co cię aż tak niepokoi?

- Nie wiem. To nie na telefon.

- Gercia... to nie te czasy...

- Nie o to chodzi. Wiesz, jakoś nie mam siły rozmawiać. Może zdzwonimy się jutro.

– Nie. Przyjadę do ciebie.
– A praca?
– Niedługo będę, tylko skończę rozdział.

„Od samego wejścia do namiotu czuję się jak gwiazda, bo mój widok budzi ogromne podniecenie. Są tu też dwie kobiety. Jedna przywiązuje mnie grubym sznurem do słupa namiotu, wszyscy się przekrzykują jak na udanym przyjęciu.

Zostaję sama, myślę tylko o tamtym mężczyźnie z ciężarówki. Nie zobaczyłam go już nigdy, zresztą jak miałabym zobaczyć, skoro do chwili uwolnienia siedziałam albo leżałam w tamtym namiocie. Codziennie stawiano przede mną kamerę. Codziennie nagrywałam prośbę o pomoc, nie mając pojęcia, kogo proszę, do kogo mówię, gdzie oni to posyłają. Gdybym wiedziała, że te nagrania pokazuje cały świat, że jestem gwiazdą jednoosobowego serialu, gdybym to wiedziała... Czas trwania mojej niewoli poznałam dopiero potem, nie mogłam uwierzyć, że to był tylko miesiąc i jeden dzień".

Samochód skakał po jezdni jak łódka po falach, szybko, bardzo szybko, nie patrząc w tamtą stronę, mijałam Halinkę, mój rodzinny dom, kiosk, budkę z kwiatami na rogu Filtrowej i Niemcewicza. Budka była pusta, a raczej opustoszała, jakby nic tam się nie działo od czasu, kiedy zabito kwiaciarkę;

właśnie przy tej budce zwolniłam. Już wiedziałam, że nie dam rady tak po prostu wejść do Gertrudy, że muszę tu pobyć, wrócić, zwolnić, usiąść. U wylotu ulicy Asnyka mignął budynek szkoły. Wielkie, szare pudło przyciągnęło mnie jak magnes. Tam zawsze stała ławka, na której siadywali rodzice, czekając na dzieci. Mój żółty porsche wskoczył na krawężnik tuż przed jej oparciem.

Cicho tutaj, jak zawsze. Martwota godzin lekcyjnych. Wszystko takie jak wtedy, tylko na murze wiją się splątane smoki o jaskrawych kolorach, ale i tak czuję wilgotny chłód jak przy wejściu do groty. Okna mają tę samą zimną poświatę. W jednym z nich stanęła dziewczynka ubrana w granatowy fartuch.

Patrzę, jak obijają się o mnie dzicy ludzie, słyszę ich wrzask i tupot nóg. Widzę, jak skaczą po ławkach, rzucają tornistrami, wołają swoje imiona, wołają moje imię, ale mnie tam nie ma. Jestem na wyspie Tajtaio, bujam się na hamaku i kiedy dobiega dźwięk dzwonka, siadam spokojnie w ławce. Głos nauczyciela nie dociera na moją wyspę. Kręcę na palcu kosmyk włosów, otacza mnie mgła gęsta jak ślina. Nawet kiedy patrzę w kierunku tablicy, nie widzę tam nic. Teraźniejszość mnie nie dotyczy, teraźniejszość wciąga jak bagno. Jestem kimś potem albo kimś przedtem. Nie rozumiem i nie chcę rozumieć mozaiki cyfr, którą zapełnia się tablica, odgradzam się od niej tak, jak święci odgradzają się od szatana. Zmuszona do wyjścia przed tablicę milczę.

Po lekcji powoli podnoszę się z ławki. Nie wiem jeszcze, jaka mam być, kiedy wyjdę tam, na szkolny korytarz. Zawsze muszę się jakoś wymyślić i nigdy nie będzie inaczej... Dlaczego nie jestem dzika? Dlaczego nie wrzeszczę z nimi, nie biegam, nie ryczę jak oni, dlaczego urodziłam się za szybą! Najgorsze są grupki. Dzicy często tworzą grupki i wabią przyjaznymi uśmiechami.

– Gruba! Ty powinnaś być pisarką!

Nie umiem stać w grupce. Zawsze jestem obok, nawet jeśli grupka stoi luźno, nawet jeśli robią mi miejsce, oczekują opinii na temat filmu albo książki. Przecież kto jak kto, ale ja mam na pewno jakąś opinię, skoro tak pięknie napisałam o urodzie starych dzielnic. A ja nie chcę dzielić się z grupką. Nienawidzę ich.

Stoję pod ścianą. Pewnie już długo tak stoję, nie wiem, bo nie było mnie tutaj. Nigdzie mnie nie było. Ruszam wzdłuż ściany powoli, pod prąd, środkowym palcem dotykam chropowatej powierzchni. Ściana ma małe krosty, miłe w dotyku.

Czy moja ospałość to grzech? Powinna być ulgą, a jest cierpieniem. Ospały świat wewnętrzny toczy się bardzo wolno. Ospały świat wewnętrzny jest bardzo stary, nawet u dzieci.

Po drugiej stronie korytarza, za rzeką wrzasku, idzie jakaś dziewczynka, idzie w przeciwną stronę i patrzy na mnie z błyskiem nadziei. Jest brzydka. Odwracam głowę. Nienawidzę jej.

Let me take you down,
'cos I'm going to Strawberry fields.
Nothing is real, and nothing to get hung about.

Sięgnęłam do torebki po portfel. Między kartami kredytowymi, zza plastikowej szybki patrzy na mnie Michel. Nie. Nie patrzy. On się przygląda. Nawet kiedy robiłam tę fotografię, patrzył, czy nie zrobić mi zdjęcia, kiedy fotografuję.

I wtedy, w Brukseli, kiedy przyglądał się mojej twarzy, nie wiedział, że jest nowa, obserwował, jak rozkładają się na niej cienie.

Michel jest bardzo wysoki, nawet można powiedzieć ogromny, więc musiałam zadrzeć głowę, żeby mu spojrzeć w oczy. Szybko podeszłam do taśmy z bagażami, ale był już przy mnie, kiedy pochyliłam się nad walizką, i zdjął ją z pasa jedną ręką. Oczywiście, że nie powinnam iść razem z nim i pozwolić, żeby zapakował nasze walizki na wspólny wózek, nie powinnam wsiąść do jego samochodu, usprawiedliwia mnie tylko, że oboje mieliśmy na szyi kilka aparatów fotograficznych i przylecieliśmy na obrady Unii Europejskiej, oboje w przerwie między wojnami.

Kiedy jechaliśmy przez most, włączył nagranie jakiegoś męskiego chóru – na okładce płyty była fotografia pięciu mężczyzn z ogolonymi głowami, a pod spodem tytuł *Pięciu pielgrzymów*. Głębokie głosy, powaga istnienia, apoteoza pielgrzymowania. Zapachniało ziemią i potem osłów.

– Nie podałaś mi adresu. – Mówił po angielsku z francuskim akcentem.

– A jedziemy do mnie?

– Oczywiście, że do ciebie.

Otwierając drzwi pokoju hotelowego, myślałam tylko o tym, żeby je przed nim zatrzasnąć.

– Pięknie tu. Ja mam też dobry hotel – powiedział, zdejmując kurtkę.

– Miła, spokojna dzielnica – dodał, ściągając sweter.

– Cisza jak na wsi – stwierdził, rozwiązując sznurowadła.

– Takie trochę staroświeckie wnętrze – zauważył, zdejmując buty.

– Właściwie czuję się tu jak w przeszłości. – Zdjął koszulę, nigdy nie widziałam tylu włosów skłębionych na męskim ciele.

– Nawet nie wiem, czy umiałbym się skupić w takiej ciszy – dorzucił, zdejmując spodnie.

– Bo ja umiem pracować tylko w chaosie. – Zdjął podkoszulek.

– A tutaj jest jak w sanatorium – stwierdził, zdejmując czarne bokserki.

– Gdzie jest łóżko? – zapytał i ruszył do sypialni. Poszłam za nim.

Sprawdził miękkość materaca, położył się na wznak i zamknął oczy.

– Boże, jaki ja jestem wykończony. Najchętniej po prostu bym zasnął.

Byłam już prawie rozebrana, chociaż robiłam to bardzo wolno, cały czas myśląc o ucieczce.

– No to śpij. Po prostu zaśnij. Zawołaj mnie, jak się obudzisz.

– Naprawdę? Nie pogniewasz się?

Wyciągnął do mnie rękę, odsunął kołdrę i zrobił mi miejsce. Z podkulonymi nogami mieściłam się między jego biodrami a ramieniem. Czarnosiwe kłęby włosów łaskotały mnie w policzek, pachniały ziemią i potem osłów. Powoli zaczęłam podróż po wielkim ciele, a kiedy znalazłam się na biodrach, podał mi rękę, jakby się bał, że spadnę w przepaść. Zespolenie było czymś oczywistym, nawet prozaicznym.

Ścisnął mocniej moją dłoń i tak ochraniana, płynęłam spokojnie, pokonując coraz większe fale.

Pewnie krzyknęłam, bo nagle otworzył oczy. Upadłam na wgłębienie między jego żebrami.

– Tylko tego mi brakowało – powiedział nagle.

To były pierwsze słowa, jakie usłyszałam w nowym świecie, na nowym lądzie. Nie chciałam rozmawiać. W miarę, jak jego oddech stawał się cięższy, skulona na skrawku wielkiego ciała, słuchałam, jak się oddala, jak odzyskuje powagę, dostojny rytm pielgrzymowania. Powoli odklejałam się od jego skóry, wreszcie zdolna, żeby położyć się obok mężczyzny, który chrapał cicho z półotwartymi ustami.

Nie był przygotowany na kobietę, za którą będzie tęsknił. Chciał fotografować wojny, chciał strzelać z aparatu, chciał dokumentować świat zza wybuchów, chciał być żołnierzem jednoosobowej armii, i tylko to miał w najbliższych planach. Wiedziałam, że zatrzymam go tylko jako ktoś tak samo zimny i niezależny. Tylko tak. Ale wtedy, jeszcze wtedy, kiedy leżałam skulona między jego żebrami - wtedy to byłam ja. Naprawdę ja. Ospała dziewczynka z nadwagą.

Let me take you down,
'cos I'm going to Strawberry fields.
Nothing is real, and nothing to get hung about.

Kilka minut stałam przed drzwiami z wizytówką „Gertruda Bartoszek". Kiedyś te drzwi otwierała Kobieta Zawsze w Futrze, zawinięta w szlafrok w chińskie wzory. Nie patrzyła, kto wchodzi, od razu znikała w korytarzu, tylko pasek szlafroka sunął za nią jak wąż.

Nacisnęłam guzik i nie odrywałam palca od dzwonka. Z głębi mieszkania słychać było stukoty, szamotaninę, jakby ktoś w panice próbował zrobić porządek.

– Już... już.

Chciałam się jakoś nastroić, wybrać naturalną minę, ale nie wiedziałam, jaka w tej sytuacji jest naturalna. Miałam przed oczami nerwową, chłopięcą sylwetkę Gertrudy, czujną, jakby z każdej strony spodziewała się napaści, i jej chude nogi w zielonych rajstopach. Usiłowałam wyobrazić ją sobie teraz, oswoić się z tym obrazem, ale sadzając w myślach Gertrudę na wózku, traciłam z oczu jej twarz. Nie wiem dlaczego, ale nastawiłam się na jakąś porażającą zmianę, na nową Gertrudę, która emanuje spokojem jak obrazy z Madonną.

– Już otwieram. – W głosie słychać było pewien wysiłek. – Przepraszam. Niestety, żarówka wysiadła, wejdź.

Szczęk zasuwy, drzwi otworzyły się nagle i wózek zniknął w głębi mieszkania.

Było ciemno, ale mogłam poruszać się tu z zamkniętymi oczami. Pamiętam, po prawej stronie jest duża, jasna kuchnia, po lewej dwa pokoje, naprzeciwko ciasna łazienka z wanną wyklejoną kalkomanią. W każdym z pokoi jest jakiś przedmiot, choćby najmniejszy, który można określić jako „chiński". Chiński stolik, chińskie filiżanki, chiński szlafrok, chiński parawan. Kobieta Zawsze w Futrze z jakichś powodów lubiła otaczać się chińszczyzną, skupowała na bazarze wszystko, co miało ten klimat i wzory.

Wózek zniknął w drzwiach pokoju, przeciskałam się tam między szeregiem kartonowych pudeł, pozaklejanych taśmami. Pokój wyglądał jak małe kartonowe miasto. Wszędzie piętrzyły się większe i mniejsze pudełka, z których wystawały kwiaty, aniołki, korale, klasery na znaczki, albumy fotograficzne... Kobieta, która siedziała na wózku pomiędzy stertami książek, była wyzywająco ruda, ostrzyżona na jeża, miała trzy kolczyki w uchu i tatuaż na ramieniu.

– No, tak to się plecie. Cześć – powiedziała nerwowo niskim głosem.

– Cześć.

– Napijesz się herbaty?

– Nie, nie, naprawdę dziękuję, piłam już w domu.

– Ale ja robię superherbatę. Na pewno nie chcesz? – Wózek jeździł w tę i z powrotem. Kilka metrów w przód, kilka w tył. Gertruda nigdy nie mogła ustać w miejscu.

– No, to siadaj tutaj. Obejrzyj sobie te klisze, a ja jednak zrobię herbatę.

Kiedy tylko wózek zniknął w drzwiach, chwyciłam rolkę i rozwinęłam w świetle lampy.

Prawie na wszystkich czarnych prostokątach widać małą, szarą sylwetkę, jakby przylepił się tam duch dziewczynki, nieforemny jak plama atramentu. To ja. W kawiarni, w kolejce, na podwórku z Lucy... Każde zdjęcie robione innego dnia, to widać nawet na kliszy. Inne klatki słabo czytelne, większość prześwietlona. Na jednej z nich odgaduję zarysy drzewa. Na kilku widoczne są cztery sylwetki.

– To my. – Gertruda zjawiła się tuż za mną. – Idziemy na Działki. Poznaję ulicę.

Uśmiechnęłyśmy się do siebie. Musiałyśmy się uśmiechnąć.

Najsurowsze kary nie mogły nas powstrzymać przed chodzeniem na Działki, bo miałyśmy tam swoje drzewo. Rosło pomiędzy działkami, oświetlała je latarnia, a jego gałęzie były rozłożone jak szczeble drabiny. W szkolnych fartuchach, granatowych beretach, z workami na kapcie i z tornistrami na plecach wspinałyśmy się, każda na swoją gałąź, ukrytą prawie przy czubku korony. Wspinałyśmy się tam po niewidzialność, po kilka godzin ponad światem i naszą dzielnicą.

Tylko że ja potem nie umiałam z tego drzewa zejść. Paraliż. Blokada. Zaburzenie obiegu krwi. Leżałam na gałęzi jak liszka, jakbym zatraciła pamięć, do czego służą nogi i ręce. Późnym wieczorem odnajdywała mnie mama. Zadzierała spódnicę, zostawiała na dole szpilki i wspinała się na górę.

Dlaczego przestałyśmy chodzić na Działki? Skończyło się, kiedy pochowałyśmy pod drzewem psa Ani, rudego setera Kruka. Tak. Żadna z nas nie mogła patrzeć na nagrobek pierwszej istoty, która nam umarła.

– Tak myślę, żebyś tę rolkę wzięła. – Gertruda postawiła kubek herbaty na chińskim stoliku. – Po prostu wywołasz te zdjęcia i może coś z tego zrozumiesz, bo ja nie rozumiem i nawet chyba nie chcę - ziewnęła. Zawsze ziewała, kiedy była przejęta.

- Naprawdę mogę to wziąć?

- Jasne. Co ja z tym mogę zrobić? Nic. A po coś mama to zostawiła. Przecież mogła wyrzucić. Dużo bym dała, żeby wiedzieć po co. Ale nie mam pojęcia.

Włożyłam film do torebki.

- Muszę już iść, słuchaj, strasznie mi głupio, lecę skończyć reportaż, tam jest panika, wiesz...

- Jasne - ziewnęła. - Jasne. Chciałabym ci tylko pokazać coś jeszcze. - Podjechała do pudła w zielone kwiaty i delikatnie wyjęła papierową torebkę z napisem „Sól". Torebka wyglądała na pustą, ale Gertruda wyciągnęła z niej małą karteczkę wyrwaną z zeszytu.

- Kiedyś kwiaciarka zawołała mnie na ulicy i prosiła, żebym oddała mamie tę kartkę. Nie zajrzałam tam wtedy.

Podała mi kartkę, patrząc na mnie z takim napięciem, jakby nie kartka, ale moja osoba była teraz istotna. List, pisany ołówkiem, był prawie niewidoczny.

Ja mam prośbę do Pani o ciążowom sukienkę dla curki. I żeby pani o tym nikomu nie muwiła bardzo paniom proszę. Ja pani jeszcze dodam za to jakieś ładne azalie albo co pani chce. Jutro mam dostawe azalii. I jeszcze czy Pani może zna jakiegoś Cygana? Bo mnie tu menczą o niego i menczą i że on u mnie mieszka i jeszcze że Basia go zna i że to dziecko jego. A ja nic nie wiem. Basia nie muwi więc pytam ludzi o niego jakby pani go znała to proszę mu powiedzieć żeby przyszed do kwiaciarni. Przepraszam za pismo i błendy.

Helena Barecka – kwiaciarka

– No i co? Przecież chodzi o twojego brata.

Pilnie, bardzo, bardzo pilnie studiowałam porwane brzegi kartki. Kwiaciarki obchodzą się zręczniej z papierem, musiała być bardzo zdenerwowana.

– Może mu to pokażesz... Masz z nim jakiś kontakt? Czy on ma dziecko z córką kwiaciarki? Czy ty coś o tym wiesz? Czy on o tym wie?

Naprawdę tak zapytała.

– Mam. Mam kontakt z bratem. O dziecku nic nie wiem. Słuchaj, ja... ja nie bardzo teraz mogę tu siedzieć... przyjdę do ciebie jeszcze i pogadamy...

– Ale... on... z nim wszystko OK? Żyje? Zdrowy?

Odsunęła się. Dojechała do komputera.

– Tak, tak...

– Super.

Widziałam teraz tylko tył głowy i kawałek jej pleców, napiętych, jakby się nimi odgrodziła ode mnie.

– Chcesz czajniczek z gwizdkiem?

Nie byłam pewna, czy dobrze rozumiem. Siedziała zwrócona do ekranu z fotografią małych rybek w tle. Przesuwała kursor od jednej rybki do drugiej.

– Słucham?

– Czerwony czajniczek z gwizdkiem. Mam ich całe pudło. Równo dwadzieścia pięć sztuk. Były w rzeczach po mamie. Całe pudło czajniczków. Chcesz jeden?

– Nie. Dziękuję.

Jeszcze wzięłam do ręki czerwony stuzłotowy banknot, który leżał na jednym z pudeł. Był stary, ale jakoś mało zużyty, tylko z boku, na nosie hutnika, narysowano jakiś znaczek.

– No to cześć.

– Cześć.

Wózek Gertrudy sunął cicho po korytarzu, obijając się o kartonowe pudła. Za nami, przed nami, między nami, szedł mój starszy brat, Cygan.

Let me take you down,
'cos I'm going to Strawberry fields.
Nothing is real, and nothing to get hung about.

– Czy pani wie, co tam jest? Bo według mnie to strata pieniędzy. Po pierwsze stare, a po drugie – tam nic nie ma na tych zdjęciach.

Mężczyzna przyjmujący negatywy miał pewnie nadzieję, że dostał do ręki dziennikarską sensację, bo niecierpliwie domagałam się szybkiej obsługi. Wrócił bardzo rozczarowany.

– Do wyrzucenia.

– Nie! Nie! Biorę wszystkie, nawet te, na których nic pan nie widzi.

W domu nie miałam siły na oglądanie fotografii. Wzięłam prysznic, położyłam się do łóżka i od razu włączyłam radio – ten krótki kontakt z rzeczywistością jest mi co wieczór potrzebny jak porcja jedzenia. Jestem chyba jedyną osobą, która na wiadomość o zamieszaniu w świecie reaguje podnieceniem seksualnym. Radio może dać mi nagłą zapowiedź spotkania z Michelem. Teraz jednak szukałam tylko kojącej muzyki. Znalazłam stłumiony dźwięk saksofonu, jak opowieść dziwaka, który mieszka sam w łodzi podwodnej... poniżej fal... snuje swoje plany dla nikogo... – już zamykałam oczy, kiedy ten człowiek zaczął przemawiać.

– Rola Polski w zwalczaniu problemów terroryzmu jest coraz donioślejsza. Świadczy o tym choćby wizyta zastępcy przewodniczącego światowej Agencji Obrony Swobód Demokratycznych przy ONZ, pani Anny Fischer. Pani Fischer jest, jak wiadomo, Polką zamieszkałą od lat w Stanach Zjednoczonych. Nasz reporter jako jedyny dowiedział się o jej przybyciu. Nie ma ono charakteru oficjalnego, a sama Anna Fischer wydawała się zaskoczona obecnością dziennikarza:

– Można wiedzieć, co panią do nas sprowadza?

– A pan skąd się tu wziął?

– Mamy swoje sposoby. Czy należy obawiać się jakiegoś zagrożenia? Czy pani wizyta o tym świadczy?

– Obawiać się należy zawsze. Terroryzm ma to do siebie, że jest nieprzewidywalny.

– Z kim pani się tu spotka?

– Pan wybaczy, ale nie odpowiem. Jestem tu prywatnie. Do widzenia.

– Ale mamy nadzieję, że skutecznie.

Wyłączam radio. Głos to przedziwny instrument – z wiekiem nabiera innej barwy, ale składa się z tych samych niepowtarzalnych fal. Głos Anny zawsze był mocny, zawsze, nawet jako dziecko, miała w głosie pewność kogoś, kto wie, po co istnieje.

Wstałam o świcie. Lubię rytuał poranków, kiedy ręce pracują niezależnie od myśli. Zostawiam im swobodę w robieniu kawy i kanapek, sama zajmuję się planem pracy. Potem zabieram się do pisania, chyba że na ekranie komórki są sygnały nowych wiadomości. Tym razem była jedna:

ZADZWOŃ KIEDY SIĘ OBUDZISZ GERTRUDA

Nie, nie zadzwonię. Skąd ona ma wiedzieć, że budzę się o piątej trzydzieści, poza tym czułam spokój i siłę, żeby obejrzeć wszystkie zdjęcia. Rozłożyłam je na biurku jak pasjans.

Na pierwszym poznałam fragment mojego podwórka. W głębi widać szczupłą sylwetkę mężczyzny w białym fartuchu. A ja? Stoję tyłem do obiektywu przed wąskimi, żelaznymi drzwiami. Wiem. Pamiętam. To zaplecze sklepu mięsnego.

– Mała, poczekaj! – zawołał kierownik sklepu i zabiegł mi drogę.

Miał na sobie biały fartuch, trzymał w ręku niewielką paczkę, pachnącą wędliną, i uśmiechał się do mnie, jakbym była dorosłą i bardzo wpływową osobą.

– To dla brata. Dla Cygana. Zanieś i powiedz, że jakby miał na coś ochotę, to ja zamówię. Ryszard Cudacki się nazywam, powiedz mu to, dobrze? Musimy sobie pomagać, dziś ja jemu, jutro on mnie.

Nie miałam pojęcia, co zrobić z tą mortadelą.

– Mamo, ten kierownik sklepu mięsnego chyba się w tobie zakochał, bo dał mi to i powiedział, że zawsze można do niego przyjść od zaplecza, ale żebym to ja robiła, bo on się wstydzi.

Potem już wystarczyło, żebym odwróciła głowę w stronę żelaznych drzwi, a już za chwilę miałam w rękach wilgotny pakunek, przesiąknięty zapachem wędliny.

– Dla brata.

Mama odżyła, wypiękniała, ojciec codziennie pytał, czy jest coś od wzdychulca.

I tak było, póki na naszym podwórku nie zaczęli się kręcić mężczyźni, którzy potem znikali w mieszkaniu dozorcy. Jeden miał zeza. To pamiętam. Pewnego dnia zamknięto żelazne drzwi. Sklep też. O tym, że kierownik siedzi, że go skazano w słynnej aferze mięsnej, mówiło się szeptem i niechętnie. To była makabryczna pokazówka, kogoś skazano na śmierć. Zapytałam mamę, czy wie, że kierownik siedzi, ale tylko ścisnęła mnie za rękę.

Następne zdjęcie nieostre, impresja świateł i mgły. Zobaczyłam je już wtedy na kliszy, wiem, co to jest, ale nie mogę uwierzyć, że naprawdę to widzę, że ktoś przy tym był, że miał przy sobie aparat, nie rozumiem, jakim cudem i gdzie tam stał nocą, na pustej ulicy. Bo na fotografii jest pusta ulica około trzeciej nad ranem. Przy dużym wysiłku pośrodku jezdni można zobaczyć sylwetkę dziewczynki w długiej nocnej koszuli i w rannych kapciach.

Pamięć to bardzo brudna szyba, którą lepiej zostawić w spokoju. I tamtą majową, ciepłą noc pośród szarych kamienic, kiedy pojawił się lunatyk.

Dziewczynka we flanelowej koszuli nocnej nie mogła zasnąć. Wstała, podeszła do okna i walczyła z płytkim oddechem. Oddychanie jest podobne do fal - każda fala ma swój szczyt, potem się uspokaja, ustępując miejsca następnej. Oddech dziewczynki nie ma szczytowego momentu. Jest jak fala, która nie dopływa do końca. Każdej nocy ta fala budzi dziewczynkę, więc dziewczynka wstaje i otwiera okno, jakby świeże powietrze mogło coś pomóc. Tej nocy też podeszła do okna, a wtedy naprzeciwko, na wysokości pierwszego piętra, pojawił się lunatyk. Badał stopą powierzchnię parapetu, jak niewidomy bada laską brzeg krawężnika. Cofnął stopę, odwrócił się plecami do okna, pomacał piętą parapet, a kiedy, trzymając się framugi, wyszedł na zewnątrz, dziewczynce zakręciło się w głowie. Przesuwał się wolno, trąc plecami o szybę. Doszedł do brzegu okna, wyciągnął rękę w stronę rynny, trzymając się blaszanej rury, zawinął o nią nogę, a potem spłynął w dół, spojrzał na dziewczynkę i powiedział:

– Wypadły mi okulary. Nie widziałaś okularów? Pomóż mi. Nic nie widzę bez okularów.

Dziewczynka odeszła od okna, założyła ranne pantofle i postanowiła pójść do pokoju rodziców. Już miała otworzyć drzwi, kiedy usłyszała krótkie jęki, jakby ktoś odczuwał ból, który sprawia przyjemność. Wielokrotnie w czasie bezsennych nocy słyszała takie odgłosy, ale nigdy o to nie pytała. Ruszyła na klatkę schodową. Było tu cicho i chłodno. Słyszała klapanie swoich rannych pantofli, podobne do stukania deszczu o parapet. Klatka miała seledynowy kolor, schody były z szarego kamienia. Widziała gołębia z głową wtuloną pod skrzydło. Dziewczynka wyszła na podwórko, przeszła obok maleńkiej piaskownicy, która nocą pachniała zgniłym drewnem, weszła w chłodną bramę i szurając kapciami, wyszła na ulicę. Właśnie gasły latarnie – stare panny z pochylonymi głowami, rzeźbione w żelazie. Dziewczynka podeszła bliżej jezdni, bliżej tramwajowych szyn. Lunatyka już tu nie było. Noc rozjaśniała się powoli, a ulica razem z okrągłym księżycem i latarniami wyglądała jak dekoracje w teatrze. Dziewczynka weszła na pustą jezdnię, która wyglądała jak zastygła rzeka, i nagle usłyszała pisk opon. Kiedy wielki samochód, niebieska warszawa, zatrzymał się przy niej jak ogromne zwierzę, które chce ją powąchać, odskoczyła w kierunku szyn.

I wtedy usłyszała:

– Ja go nie zabiłam!

Krzyk odbijał się od murów kamienic i budził wszystkich, jak każdej nocy o tej samej porze.

– Ja go nie zabiłam!

To krzyczała żona pisarza spod siódemki. Pisarz twierdził, że krzyczy tak od wojny, że nie wiadomo dlaczego, że nie chce powiedzieć. Kamienica przywykła do tego, ale tym razem mama dziewczynki, wiedziona intuicją, wstała, weszła do dziecinnego pokoju, zobaczyła puste łóżko, otwarte okno i córkę na środku jezdni. Samochód ruszył tak nagle, jak się pojawił. Dziewczynka, niesiona na rękach, podejrzana o lunatyzm, nie otworzyła oczu nawet wtedy, kiedy przykryto ją kołdrą i zgaszono światło.

Kwiaciarkę zabito tego dnia o szóstej rano.

Próbuję opanować strach. Cokolwiek by to było, jakikolwiek byłby powód, dla którego mnie sfotografowano tam w nocy, to przecież tylko fotografia, a ja jestem małym, czarno-białym ludzikiem pośrodku kartki z przeszłości.

Następne zdjęcie prawie nieczytelne – na czarnym tle widać tylko blask świateł, jak kilka białych słońc. Trzeba się bardzo wysilić, żeby rozróżnić tu jakieś kształty. To chyba ludzie, mali i nieruchomi, otoczeni światłem... Powiększenie zdjęcia nic nie da, raczej rozproszy ciemny obraz. Ci ludzie chyba siedzą, jest ich wielu, bardzo wielu, jak w ogromnym teatrze, jak... Tylko w Sali Kongresowej, tylko w Pałacu Kultury może się zmieścić tyle ludzi. Nie widzę tu siebie, jest za ciemno, ale wiem, czuję, że to zdjęcie z tamtego wieczoru, z Festiwalu Młodych.

Nie byłam pewna, czy mam siłę na oglądanie reszty. Wzięłam kilka zdjęć, na których jestem z Lucy. Wkładam Lucy do wózka. Wyjmuję ją z wózka. Zdejmuję z niej płaszcz. Wkładam jej płaszcz...

Pewnego dnia Lucy nie wróciła. Stałam przy siatce do późnego wieczoru, nie zwracając uwagi na wołania matki. Wreszcie zobaczyłam chłopaka o bladej, psychopatycznej twarzy – zbliżał się powoli z rękami w kieszeniach.

– Nie wiem, co się stało. Była i nie ma. Jakaś dziewczyna ją wzięła, zapłaciła, ale nie oddała. Powiedziała, że jej ukradli.

Rozglądając się czujnie, sprawdzał, czy nie ma w pobliżu mojego brata.

W domu nie powiedziałam całej prawdy, tylko to, że ktoś ukradł Lucy.

Tajemnica wydała się kilka dni później. Było to tak okropne, że wolałam ten dzień wykasować z pamięci.

– Zazdrość jest jednym z najgorszych uczuć. Zazdrość nas niszczy, odbiera siły i prowadzi do błędów. Heniu, wystąp – powiedziała spokojnym głosem Szycha, dyrektorka szkoły, kobieta z twarzą poznaczoną czerwonymi żyłkami.

Staliśmy na korytarzu, w równym szeregu, wpatrzeni w przeciwległą ścianę.

– Nie ma takiej winy, której nie można wybaczyć. Mogłabym tę smutną sprawę załatwić po lekcjach, ale chcę, żebyście się wszyscy przy okazji czegoś nauczyli. Heniu. Zrobiłaś coś bardzo złego, ty sama wiesz co, ale chciałabym, żebyś nam to wszystkim powiedziała, żebyś przeprosiła swoją koleżankę. I żebyś oddała to, co wzięłaś.

Henia była zawsze małomówna, ale wtedy sprawiała wrażenie kogoś, kto nie zna ani jednego słowa.

– No dobrze, to ja ci pomogę. – Głos Szychy był jeszcze łagodniejszy. – Nie było nic złego w tym, że lalka ci się podobała, chociaż prawdę mówiąc, ja nie lubię zagranicznych lalek, uważam, że nasze lalki są o wiele ładniejsze, ale to już kwestia gustu. Czy teraz wiesz, o czym mówię?

Pamiętam przerażone, rozbiegane oczy Heni.

- Dobrze. To w takim razie ktoś ci pomoże. Aniu!

Anna podniosła się z ławki i mówiła z namysłem, jak ktoś, kto zeznaje przed sądem.

- Moja mama to widziała. Jak Henia szła z Lucy do swojego domu. To było późnym wieczorem.

Henia stała jak pomnik. Zaczęła płakać, ale to nie był zwykły płacz, tylko coś w rodzaju sapania. Potem musiała wrócić do klasy i do ławki, w której siedziałam ja. Zawsze siedziałyśmy razem.

Cichy dźwięk esemesa przestraszył mnie jak nagły huk.

ZADZWOŃ DO MNIE KIEDY SIĘ OBUDZISZ GERTRUDA

Jeszcze nie chciałam, nie mogłam rozmawiać z nikim, jeszcze zostało to zdjęcie, na którym widać drzewo. Kilka białych punktów, ukrytych w liściach, rozłożonych na różnej wysokości, to skarpetki dziewcząt. Pod drzewem stoję ja.

- Miśka, właź! Miśka, właź! - wołają dziewczyny, ukryte wśród liści. Poprawiam tornister i czepiam się pierwszej gałęzi. Pokonuję drzewo, jak pokonuje się fale morskie, wiatr, ogień czy inny żywioł. Zapuszczam się między gałęzie, jakbym biegła przez gęsty las. Celem jest gałąź szeroka jak grzbiet konia, która czeka na mnie prawie przy czubku drzewa.

Wreszcie siadam na niej okrakiem i przytulam policzek do kory tak, żeby nie patrzeć w dół.

Przeczuwałam katastrofę. Nie zejdę. Blokada. Nie byłam zdolna nawet do tego, żeby podnieść rękę i chwycić się górnej gałęzi. Nie mogłam poruszyć głową nawet wtedy, kiedy któraś z dziewczyn krzyknęła: „Dozorca!", i drzewo zatrzęsło się od ciężaru dziewczęcych ciał. Nawet nie poczekały na mnie, nie pomyślały, że siedzę na gałęzi nieruchoma jak lalka. Dozorca przeszedł koło drzewa i spojrzał w górę, ale interesowało go raczej niebo i ciemniejące chmury. Widziałam matki z dziećmi, wychodzące przez bramę, pamiętam ciężar tornistra, ból dłoni zaciśniętych na gałęzi, chłód wieczoru i ciemniejące trawniki.

Wtedy na drzewie straciłam poczucie czasu, nie wiem, czy byłam tam godziny, czy minuty, w ciemności słyszałam cichy warkot, jakby gdzieś daleko ktoś wiercił dziurę w ziemi. Potem na ścieżce w kręgu światła latarni pokazała się wielka czarna mucha. Skuter marki Osa pędził prosto na pień. Silnik zaryczał, skuter prześliznął się po ziemi i stanął tuż przy korzeniach.

Pierwszy zsiadł Paulojohn z gitarą przewieszoną przez ramię, a za nim dziewczyna podobna do Brigitte Bardot.

Usiedli przy drzewie, opierając głowy o pień, przez chwilę oświetlił ich płomyk zapałki, mówili coś do siebie, ale dochodziły mnie tylko sylaby.

Potem on wziął gitarę i brzdąknął kilka akordów. To były zawsze te same akordy, w tej samej kolejności, pilnie wydobywane ze strun. Dziewczyna zaczęła coś nucić, ale nieskładnie, jakby nie znała ani słów, ani melodii.

On rzucił jakieś słowo, ona się roześmiała. Odłożył gitarę, dziewczyna zsunęła się po pniu i położyła głowę na jego udach. On zgasił papierosa w trawie. Dziewczyna osunęła się, na ziemię, on zdjął kurtkę i położył się na dziewczynie całym ciałem. Musiałam ścisnąć gałąź jeszcze mocniej, ale nie mogłam zamknąć oczu, bo straciłabym równowagę. Chłopak wsunął rękę pod bluzkę dziewczyny i chyba dotykał jej piersi, ale ich pocałunek jakby się nie rozwijał - poczułam ulgę, kiedy oderwali się od siebie, a dziewczyna spokojnie zapięła bluzkę. Kiedy usiedli przy pniu, ona coś powiedziała, a chłopak znieruchomiał.

- Żartujesz? - W każdym razie tak zrozumiałam.

Dziewczyna pokręciła głową. On wstał i kopnął pień.

Ona coś powiedziała. Chłopak ukląkł, wyszeptał dwa, trzy słowa. Uderzyła go w twarz. Podniósł się, założył kurtkę, wziął gitarę i podszedł do skutera. Dziewczyna nie ruszyła się, ani kiedy wsiadł na skuter, ani kiedy rzucił jakieś słowo, czy raczej pytanie, ani kiedy znikał w ciemności. Nie ruszała się kilka minut, a ja myślałam o tym, czy można umrzeć albo zemdleć w takiej pozycji. W ciemnym lesie liści czułam się tak, jakbym podglądała zagubione zwierzątko. Jezu, jak ona płakała. To był płacz dziecka, które poczuło się samo i krzyczy do Pana Boga.

Wyciągnęłam rękę ku górze i złapałam się gałęzi. Powoli, pilnując każdego centymetra ciała, zdjęłam drugą ręką tornister. Instynktownie czułam, że muszę panować nad oddechem, że tylko sterując powietrzem, mogę utrzymać się na gałęzi. Ostrożnie otworzyłam tornister, wymacałam piórnik, wyjęłam długopis i włożyłam go między zęby. Potem wyjęłam zeszyt, wydarłam kawałek kartki, położyłam kartkę na tornistrze i chybocząc się na gałęzi, napisałam:

Kocham Cię. To dziecko będzie nasze.

Cygan

Kartka spadała w dół jak biały liść.

Telefon zadzwonił około szóstej trzydzieści.

– Mówi Gertruda. Czekam i czekam, aż zadzwonisz.

– Przepraszam, ale nie chciałam cię budzić za wcześnie.

– Nie zbudziłabyś mnie. Nie spałam.

– A co się stało? Jakieś nowe zdjęcia?

– Nie. Musimy porozmawiać. Koniecznie.

– Dobrze, tylko naprawdę teraz nie mogę, cała ta sprawa, zdaje się, wyautuje mnie z pracy... Muszę skończyć to, co zaczęłam.

– Nie, nie, teraz to niemożliwe, musimy porozmawiać po południu i właśnie dlatego dzwonię. Muszę wiedzieć, czy znajdziesz czas, a raczej prosić cię, żebyś znalazła. Wczoraj przyleciała Ania. Wiesz, co to jest dla kogoś takiego urwać się z pracy, ale zrobiła to, będzie u mnie około trzeciej, a pojutrze rano wyjeżdża.

– Tak, wiem. Słuchałam radia.

– I będzie też Henia.

Myślałam, że nic mnie już nie zdziwi, ale obraz Heni i Anny Fischer w jednym pokoju...

– Henia? A... co ona teraz robi?

– Jest dróżniczką w Luczynie. Taka mała dziura na południu. Henia jest wdową i ma pięcioro dzieci, jej mąż umarł na białaczkę.

– No i co... i opuści posterunek, bo masz zamiar wypić z nami herbatę?

– No właśnie, to było wyjątkowo trudne, oznajmiła, że ma dyżur i nie ściągnie jej żadna siła. Zaszantażowałam ją swoim stanem zdrowia, że nie chcę umrzeć z niewyjaśnionymi sprawami, a są takie i dotyczą nas trzech. Ale to spotkanie chyba Heni nie interesuje, raczej wzięłam ją na litość, i to wszystko.

Słuchałam, co mówi Gertruda, i nagle dotarło do mnie, że naprawdę się zobaczymy.

– ...Proszę cię, potraktuj to wszystko poważnie. To, co chcę... co chcemy ci powiedzieć, jest bardzo... bardzo trudne, przynajmniej dla mnie. Bądź u mnie o piątej po południu, dobrze?

– Powiedziałaś, że Ania przychodzi o trzeciej...

– Tak, ale najpierw ja muszę z nią porozmawiać. Ona zresztą sama chce najpierw ze mną.

– Jeżeli w ostatniej chwili nie zadzwoni: „*Sorry*, dziewczynki, ale konferencja się przeciąga" – albo coś w tym rodzaju.

– Nie ma żadnej konferencji. – Miałam wrażenie, że zmęczyła ją ta rozmowa. – Przyjechała do mnie.

Zazdrość jest jak toksyna, zatrucie organizmu zaczyna się od głowy.

– Można wiedzieć, jak tego dokonałaś? Kobieto! To dla ciebie taki punkt zawodowy, że masz teraz szansę wyjść na swoje! Mo...

– Nie! – krzyknęła. – Uspokój się! Żadnej prasy! Ja... po prostu, kiedy znalazłam tę naszą fotkę, odszukałam w internecie jej sekretariat w ONZ, przesłałam zdjęcie i tyle. Byłam pewna, że tak zostanie, nie spodziewałam się żadnej odpowiedzi, otwieram pocztę i nagle widzę jej nazwisko. Ale to jeszcze nic w porównaniu z tym, co napisała. Że musi się ze mną zobaczyć. W ogóle z nami. Że przylatuje natychmiast...

– Dobrze, przyjdę. – Szybko położyłam słuchawkę, nawet się nie pożegnałyśmy.

Otworzyłam laptop z nową energią, z radością, że to, co przeżyłam, w jakimś sensie piszę dla Anny.

Mój tekst zatrzymał się na ostatniej chwili wolności, przede mną trzydzieści dwa dni w tamtym namiocie, cała prawda o fizjologii strachu, o histerii, uległości, agresji, o lizusostwie i o małych bohaterskich czynach, jak na przykład milczenie, kiedy pytają: *How are you...*

PRZYPOMINAM O SPOTKANIU PAULA

Gdyby nie esemes, zapomniałabym, że po południu mam być w kawiarni. Powinnam to odwołać. Powinnam zdjąć fotografię dziewczynki w wianku z konwalii, zrezygnować ze spotkania z dziewczynami, a pytanie, kto i po co robił mi zdjęcia, skasować jak pliki w komputerze.

Nawet nie wiem, kiedy zamknęłam laptop i włożyłam płaszcz.

Jezdnia na Filtrowej była jak zawsze podobna do rzeki, a moim porsche bujało wprost na plac Narutowicza, prosto w stronę kościoła. Do spotkania z tą małą zostało mi jeszcze pół godziny.

Wchodząc w chłodną pustkę, słyszałam szepty duchów i echo *Pater Noster*. W strzelistym kościele z cegły, gdzie klęczałam w zwiędłym wianku z konwalii, odbywały się msze w ojczystym języku Pana Boga. Łacina – niezrozumiała mowa uczuć wyższych. Bóg, posługujący się łaciną, był niedostępny jak każdy cudzoziemiec, dlatego wolałam modlić się do Niej, do złoto-niebieskiej, ona przecież rozumiała po polsku. Teraz też przyszłam do

Niej. Byłam pewna, że słyszy stuk moich obcasów, w niszy, po lewej, złoto-niebieska, z rękami rozłożonymi, jakby trzymała niewidzialną piłkę, z głową przechyloną na prawo. W maleńkim mieszkaniu - w niszy, wąskiej jak skalna szczelina - zawsze świeciły się lampki i pachniało kwiatami. Wszystko będzie dobrze. Nic nie ma znaczenia.

– Nawet to, że nie umiem tańczyć?

– Wszystko będzie dobrze.

– Nawet to, że jestem inna od innych?

– Wszystko będzie dobrze.

– A smutek? Mój smutek? Moja smutna, gruba, leniwa dusza?

– Wszystko będzie dobrze.

– A Bóg? Czy jest Bóg? Naprawdę jest?

– Wszystko będzie dobrze.

– Jak wygląda Bóg?

– Wszystko będzie dobrze.

Podeszłam do marmurowych schodów, uklękłam na czerwonym chodniku.

– Dziękuję ci za wszystko. Wszystko jest dobrze. Amen. – Podniosłam głowę, jak zawsze na koniec modlitwy.

Nisza była pusta.

POCZĄTEK DRUGIEJ CZĘŚCI TEJ HISTORII

To nie było dla mnie proste – wejść do tamtej kawiarni. Jak zawsze wszystko tu działo się wolniej, wyglądało to tak, jakby na szklanych drzwiach puszczano niemy film. Inne krzesła, stoliki, kolor ścian, lada, krzykliwe reklamy lodów, a mimo wszystko, ten sam klimat dzielnicowej prowincji, mieszaniny dymu i kawy, inteligenckiej melancholii i podejrzanych interesów.

Tuż przy wejściu w gablocie leżały sterty ciastek, a z tyłu stał ekspres do kawy, nad którym pochylała się starsza kobieta. Jej dziewczęca fryzura – czarne włosy opadające na ramiona – była typowa dla kobiet, które nie godzą się z przemijaniem.

W kawiarni nie było nikogo oprócz mnie i jakiegoś pijaczka, odwróconego w stronę szyby. Właściwie nie wiem, dlaczego pomyślałam „pijaczek". Miał przerzedzone włosy, które opadały na ramiona. Może dlatego.

Usiadłam niedaleko, tam gdzie zawsze, pod oknem z widokiem na podwórko, na zwilgotniałe deski piaskownicy.

– Misia... jak wygląda twój brat?

– Ma jasne włosy. Tylko tyle wolno mi powiedzieć.

– Cygan blondyn? – Ania zawsze była nieznośnie logiczna.

– Tak. Nie wiesz? Istnieje szczep Cyganów o jasnych włosach. Przywędrowali z południowej Arktyki, ale nie przyjęto ich do taboru, dlatego żyją samotnie.

– To czym się żywią? – Henia była zawsze bardzo praktyczna.

– Ścisła tajemnica. Pilotom lotnictwa podziemnego, a jest ich na świecie tylko pięciu, dostarczają pożywienie drogą morską. Tylko tyle mogę powiedzieć.

– Ile on ma lat? – Przynajmniej Gertruda zadawała proste pytania.

– Dwadzieścia. Właśnie wczoraj miał urodziny. Jego wiek też jest tajemnicą, ale dwa lata temu zdradził mi, że ma dwadzieścia.

– Jak to... dwa lata temu miał dwadzieścia i teraz też? – Czasem nienawidziłam Ani.

– Tak. Piloci lotnictwa podziemnego mają zupełnie inny kalendarz. U nich rok trwa cztery lata. Ale mnie nie wolno o tym mówić... i tak zdradziłam wam tyle, że gdyby się dowiedział...

– To co by zrobił?

– Mnie? Nic. Za bardzo mnie kocha. Ale jego dowódcy mogliby go zabić. Pilotów lotnictwa podziemnego zabija się za wszystko. Nawet mojego brata, który dostaje tylko światowe rozkazy, i to czasem takie, o których nie wiedzą nawet dowódcy.

– To kto mu daje te rozkazy?

– Nie mogę wam powiedzieć. Ale to jest ktoś taki, o kim mówi się w radiu. Ktoś najważniejszy. Błagam, nie mówcie nikomu. Przysięgnijcie na życie.

– Przysięgamy. Na życie. A gdzie jest teraz twój brat?

– W Gwatemali. Ja teraz... ja teraz muszę już iść na Działki. Nie pytajcie dlaczego.

– Mówiłaś, że on jest w Gwatemali.

– Lotnictwo podziemne jest bardzo szybkie.

Cisza kawiarni była czymś nowym. Zza okna zawsze przecież dochodził nieustanny, daleki, warkot, szyby drżały od tego, a pod stopami czuliśmy lekkie trzęsienie ziemi. Czy to możliwe, żeby ktoś pracował od świtu do nocy, nie robiąc przerw na obiad i kolację? Kim był człowiek, który przez kilka lat wiercił coś na wysokim piętrze, niewidoczny jak owad, zawsze obecny, zawsze daleko, a jednak w środku naszych głów?

Zamówiłam najgorsze, najtańsze wino z karty. Nie wiem, co oni tam wtedy pili, może już nie ma takiego wina, ale to miało taki sam żółty kolor i pachniało starą landrynką. Nie miałam zresztą zamiaru tego wypić – chciałam je tylko zamówić. Tamta kobieta nie mogła zrozumieć, wielokrotnie powtarzała, że mają lepsze, nerwowo gładziła ciemne włosy, wreszcie podeszła do mnie z kieliszkiem i obrażona postawiła go na stole. Nagle przy drzwiach zrobił się gwar, jak w gorący dzień na giełdzie. Kilka kobiet w kolorowych spódnicach od pierwszej chwili opanowało kawiarnię, dwie siadły na brzegach krzeseł, inne chodziły między stolikami.

Nie mogłam uwierzyć, że one tu wróciły.

Cyganki spadały na dzielnicę z takim hałasem, jakby stało się coś strasznego. Ich awantury, ich rozwrzeszczane dzieci, uwieszone przy kwiecistych spódnicach, były jakby z innego obrazu. Przychodziły z różnych stron, chociaż tabor od dawna rozłożył się przy Działkach. Oglądałam go z wysokości drzewa - było tam cicho, tylko czasem grupka dzieci bawiła się jak małe tygrysy. Podobno nocami palili ogniska, ale ich tańce widziałam tylko w snach.

- Powróżyć? - Stara Cyganka oparła się brzuchem o mój stolik.

Nic nie powiedziałam, Cyganka więc usiadła na brzegu krzesła, rozłożyła karty i nagle podniosła głowę.

- A czegoż ty... ty... Cygana urodziłaś?

- Ja? Jakiego Cygana?

- Przecież widzę. Cygana urodziłaś. Nie siłami natury. Czego ty się z Cyganami... Poczekaj, dziecko, ja sobie jeszcze karty rozłożę.

Robiła to z taką ciekawością, jakby moja obecność nie miała już żadnego znaczenia. Jej dłonie krążyły nad kartami.

– ...Kobieta... młoda... dawno nie żyje... prababka... oj, dalej, dziecko... dalej niż prababka... Ona i Cygan niestary... Konie koło niej. Płacz koło niej, ona wróciła, on pojechał. Z brzuchem wróciła. Cygana wam przyniosła i Cygan we krwi waszej, raz go więcej, raz mniej, ale w krew wam wszedł do końca świata. Tak, dziecko. Cygana ty w sobie masz. – Zerwała się z krzesła i nie patrząc na mnie, zgarnęła karty. – Pieniędzy nie chcę. Od swoich nie biorę.

Włożyła karty za dekolt i wybiegła z kawiarni.

Pijaczek na chwilę odwrócił głowę. Z przodu był łysy, a siwoszare długie włosy zwisały od skroni do ramion. Dziwny był. Odwrócony do wszystkich plecami, chyba ukrywał, że pali papierosa, co było dość głupie, bo otaczał go dym jak w wędzarni. Niewiele można było zobaczyć zza tej chmury, tyle tylko, że mężczyzna ma na sobie coś czarnego, coś, co jest połatane i rozdarte w wielu miejscach... dopiero po chwili zrozumiałam, że to skóra... czarna, popękana, a jednak błyszcząca...

Czy człowiek może tak się skurczyć? Czy to możliwe, że ludzie okazują się po latach mniejsi, jak podwórka, piaskownice i kościoły? Chciałam być teraz niewidzialna i pewnie dlatego założyłam ciemne okulary.

Let me take you down,
'cos I'm going to Strawberry fields.
Nothing is real, and nothing to get hung about.

Kiedy Paula wbiegła do kawiarni, zerkając na zegar nad barem, od razu wiedziałam, że to ona. Patrzyłam, jak walczy z szalikiem, który zaplątał się na guziku, jak nadziewa się na róg szklanej lady, jak się rozgląda, podobna do czujnego ptaka. Na mój widok potknęła się o schodek.

– Dzień dobry, to ja. – Postanowiła udawać osobę konkretną, z tych, które nie marnują czasu swojego ani innych. Udawać kogokolwiek. Bo jeśli nie stworzy jakiejś roli, nie będzie wiedziała, kim jest. Postanowiła też nie dać po sobie poznać, jakie wrażenie robi na niej to spotkanie.

– Nie musisz się przedstawiać. Byłam bardzo ciekawa, jak wygląda córka Gertrudy. Siadaj. Nie jesteś podobna do matki.

– Tak? – Sięgnęła w głąb torby. Jej nerwowe palce ze wstrętem rzucały na stół różne przedmioty. Zapisane kartki rozsypały się na podłogę. Potem ze źle ukrywanym wstydem wyciągnęła stary, zakurzony dyktafon. Zajęta sprawdzaniem aparatu, nie bardzo zrozumiała intencję pytania.

– ...Co ty robisz?

– Słucham? Nastawiam dyktafon, bo pewnie nie ma pani za dużo czasu, więc...

– Ale po co nastawiasz ten dyktafon?

– Aha... Pani nie chce, żebym nagrywała? Nie ma sprawy. Mogę notować. Nie ma problemu. – Wyszukała w torebce długopis, pobazgrała nim po kartce.

– Ale ja ci nie powiedziałam, że zgadzam się na wywiad. – Są słowa, które zatrzymują czas. Wtedy lepiej nic nie mówić. Powiedziałam tylko, że spotkam się z tobą.

– Aha. Rozumiem. – Paula oparła się na krześle. Wzięła do ręki długopis i zaczęła rysować jakieś bryły.

– Jak znalazłaś Halinkę?

– Mama mi powiedziała.

– Mama... No, tak. Mówiła, że piszesz pracę.

– No właśnie, nie wiem, czy napiszę, bo chyba jednak zdecyduję się wyjechać. – Odrzuciła zarysowaną kartkę i wzięła następną.

– Dokąd?

– Do Australii. Ja się bardzo interesuję Aborygenami.

– A od kiedy?

Wyglądała teraz jak ktoś, kto zasypia. Patrzyłam, jak otacza się mgłą, jak tonie w ciepłej chmurze międzyczasu. Ciekawe, czy wyjeżdża na wyspę Tajtaio. Czy umie być tylko kimś przedtem albo kimś potem. Na wyspie Tajtaio słowa dochodzą znacznie wolniej.

– Od... od niedawna.

– Od miesiąca? Od tygodnia? Od wczoraj?

Uśmiechała się do mnie jak ktoś bardzo stary. Jak ktoś, kto wie już wszystko, nawet to, że rozmowa nie jest konieczna do życia.

– Powinnaś napisać tę pracę. Powinnaś cokolwiek doprowadzić do końca. Poza tym chyba nie zostawisz tak mamy.

– Nie. Myślałam, żeby z nią pojechać. – Splotła dłonie i oparła na nich brodę... Bardzo chciała uzyskać jakąś zrównoważoną formę. Czułam pod stolikiem nerwowe drganie jej nóg.

– Herbatę poproszę – powiedziała do kelnerki, która podeszła do nas, patrząc na moje nietknięte wino.

– Ja napiszę tę pracę. – Paula odchyliła się na krześle. – Wiem, że napiszę.

– A na kiedy masz termin? Za miesiąc? Za tydzień?

– Za trzy dni – rzuciła mi jak wyzwanie.

– A... to kupa czasu. W takim razie dam ci pewne zadanie.

Patrzyła na mnie nieufnie. Nie może ufać sobie, nie ufa więc nikomu. Kiedy stąd wyjdzie, będzie mogła opisać mój stan ducha, moje cechy charakteru, ale nie będzie pamiętała, że mam ciemne okulary. Zdjęłam je, żeby się jej lepiej przyjrzeć.

– Otóż dam ci ten wywiad, jeśli znajdziesz mojego brata. Ja miałam...

Podskoczyła na krześle.

– Wiem! Mama mi mówiła, że pani miała superbrata. Pani nie wie, gdzie on jest?

– No właśnie. Nie mam pojęcia, a może być wszędzie.

– Jak to wszędzie? Czym on się zajmuje? – Pochyliła się do mnie jak ktoś, kto musi powziąć błyskawiczny plan.

– Nie wiem. To bardzo tajemniczy człowiek.

– No, ale gdzie on jest? W Polsce, mam nadzieję. – Jej żywy, radosny śmiech, błyszczące oczy mogłyby wskazywać, że jesteśmy bardzo zaprzyjaźnione.

– Nie sądzę. Ale od czego mamy internet.

– No dobra, super, ale jak on się nazywa?

– Różnie. Ludzie na jego stanowisku mają wiele nazwisk.

Oparłyśmy się na krzesłach jak po skończonej naradzie. Patrzyłyśmy na siebie z uwagą. Była to swojego rodzaju rozmowa oczu.

Jesteś potworem – mówiły oczy Pauli.

Tak. Jestem potworem – powiedziały moje oczy.

Nienawidzę cię – dodały oczy Pauli.

Wiem – odpowiedziały moje oczy.

– I tylko wtedy da mi pani ten wywiad? Jeżeli znajdę... – Machnęła ręką i szklanka z herbatą sfrunęła kelnerce z tacy. Kobieta zdążyła uskoczyć w porę, widocznie spodziewała się tego po nieopanowanych ruchach dziewczyny.

– Super – syknęła Paula, pomagając sprzątnąć okruchy szkła.

– Super – powtórzyła, wrzucając magnetofon do torby.

– Super – szepnęła, zgniotła kartki z notatkami i wcisnęła je do kieszeni.

– Super – powiedziała, zrywając się od stolika.

– Uważaj na schodach – rzuciłam z najczulszym uśmiechem, na jaki mnie stać.

Oczywiście potknęła się na schodach. Zahaczyła szalikiem o klamkę. Stanęła w otwartych drzwiach.

Nie rób tego – pomyślałam, kiedy zamknęła drzwi z powrotem. A jednak zrobiła to. Odwróciła się, wbiegła na schody, podeszła do stolika i pochyliła się nade mną.

– Pani jest sztuczna i beznadziejna. Pani programy są nadętym badziewiem. Pani książki to żałosna ściema.

Odeszła już spokojniejsza, tylko drzwi trzasnęły za głośno. Nie chciała tego. Wiem.

W kawiarni słuchać było rytmiczną muzykę i szum ekspresu do kawy, a jednak było tu cicho. Za cicho. Najchętniej wyszłabym stąd, w każdym razie powinnam chcieć wyjść, ale do spotkania u Gertrudy zostało jeszcze dużo czasu, wokół człowieka w czarnej kurtce (jeszcze nie mogłam uwierzyć, że to on) gęstniała ściana dymu.

Okna mojego mieszkania były widoczne z tego miejsca jak wtedy, tyle że przysłaniały je gałęzie.

Mój balkon nic się nie zmienił. Tylko my mieliśmy balkon – nigdy nie zrozumiałam, dlaczego wybudowano ten jeden. Czy z innych zrezygnowano, czy ktoś w ostatniej chwili zdążył narysować na planie tylko ten? Teraz też nie było na nim żadnych kwiatów, sterczał ze ściany opuszczony, jakby tam nigdy nikt nie wchodził. Tylko raz widziałam, jak ojciec stał na nim, paląc papierosa. Wtedy, kiedy tak bardzo schudł.

– Zostaw tatę. Ma kłopoty.

Mama przestała tapirować włosy w kok, podobny do gniazda, całymi dniami leżała w łóżku, drzwi do pokoju były zawsze zamknięte i tylko słyszałam przez ścianę jej płacz. I jeszcze strzępki rozmów.

– Ja nie znam żadnej Cyganki! Nie znam!

– Nie wierzę. Już w nic nie wierzę. Powiedz mi prawdę, powiedz mi prawdę, przecież to było, zanim się poznaliśmy, więc...

Trzask drzwi. Jej płacz. Tupot na klatce schodowej. Wsuwałam się cała pod kołdrę, niewidzialna dla świata, któremu zrobiłam krzywdę.

Strawberry Fields Forever. Wciągnęłam głęboko powietrze – kiedyś zapach skórzanej kurtki dochodził do mojego stolika, teraz czułam tylko żrący dym tanich papierosów. Ten człowiek z czołem przyklejonym do szyby patrzył chyba na moją kamienicę, ale może jej nie dostrzegał. Spojrzałam w tamtą stronę, żeby widzieć to samo, co on.

Mój dom wyglądał na podwórku tak, jakby zatrzymał się w podróży, a przecież był dobrze ukorzeniony. Na schodach do piwnicy zawsze paliła się mała żarówka i trzeba było mieć latarkę, żeby dostać się do drzwi zbitych z desek. Tam były piekła naszych mieszkań - stosy odrzuconych książek, lalek, słoików, drabin, abażurów. W wilgotnym korytarzu piwnicy dowiedziałam się od Heni o tym, co robią dorośli, kiedy ich nikt nie widzi.

Kiedyś poczułam tutaj zapach świeżego druku. Szłam za nim tak długo, aż zobaczyłam ukrytą w cegłach niewielką paczkę gazet, pokrytych niebieskimi literami.

„WOLNA OCHOTA"

Na gazetach ktoś położył kartkę: „Dostarczyć jutro".

„Dostarczę. Cygan" - dopisałam w rogu kartki. Mój brat nie uchylał się od takich obowiązków.

Od tego dnia co czwartek kładłam pod każdymi drzwiami, na każdej wycieraczce po jednym egzemplarzu „Wolnej Ochoty" z dopiskiem: „Od Cygana".

Ciekawe, kto przedtem, zanim się urodziłeś, dostarczał „Wolną Ochotę" sąsiadom.

Paulojohn sięgnął po papierosa, wyczuwając paczkę palcami, jakby nie chciał stracić ani sekundy z widoku pustego podwórka. *Strawberry Fields Forever.* Posłałam mu tę piosenkę jak gołębia z serwetki. Czasem oni rzucali w siebie takimi gołębiami, zamiast słów rzucali nimi w dziewczyny.

Białe ptaki rzadko dolatywały do celu, nie miały sił w papierowych skrzydłach i lądowały na stoliku albo padały na podłogę. Kilka martwych ptaków leżało zawsze między pustymi krzesłami. Dużo dałabym za to, żeby wiedzieć, o czym on myśli, przylepiony do szyby, co czuje, jeśli w ogóle czuje cokolwiek. Posłałam *Strawberry Fields Forever*.

Nagle w jednym z okien zapaliło się światło.

KILKA SŁÓW O TYM, CO MYŚLI CZŁOWIEK PRZY OKNIE

Strołberi. Strołberi.

Strołberi filds forewer...

Ta piosenka przyfrunęła nagle od strony okna i wcisnęła się do ucha jak latające mrówki. Znał na pamięć (kiedy miał jeszcze pamięć) wszystkie piosenki The Beatles, zdarzało się, że rozumiał jedno, dwa słowa, ale reszta to były same dźwięki.

Języki obce. Niby dwa słowa, a brzmią jak jedno. Robi się od nich gorzko w ustach, jakby to była trucizna.

Jesterdej to na przykład znaczy wczoraj. Albo jutro. Ale raczej wczoraj.

Strołberi to truskawka. Tri to chyba jest drzewo, tak mu powiedziała kiedyś dziewczyna, ale skąd ona to wie? Drzewo truskawek? A forewer to jest zawsze. Strołberi filds forewer. Truskawki zawsze? Niemożliwe. Ta piosenka jest jak zamknięte miasto. Miasto nie może być zamknięte, ale tak właśnie pomyślał - angielskie piosenki to miasto, do którego nie może wejść.

Najf to jest nóż.

✦

Z klatki schodowej wyszła jakaś kobieta, ubrana skromnie, ale bardzo starannie, w ręku trzymała brązową tekturową teczkę. Szła szybko, tak szybko, że krzyknęłam tylko: „Zapłacę potem!" - slalomem między stolikami wybiegłam z kawiarni i dopiero w bramie zwolniłam kroku jak ktoś, kto z nadmiaru czasu spaceruje sobie po okolicznych podwórkach. Nie przychodziło mi do głowy żadne pytanie, a mimo to szłam w jej stronę, jakbyśmy się umówiły.

- To pani? - Kobieta zatrzymała się, spojrzała na zegarek. Patrzyła na mnie zaskoczona. - Spóźniła się pani. Bardzo się pani spóźniła. No, to idziemy, ale najpierw podpisze mi pani, tak? - Wyjęła z teczki drobno zadrukowaną umowę pośrednictwa nieruchomości.

Podpisałam się na dole kartki, co przyjęła z wyraźną ulgą, przy domofonie nacisnęła numer 7, zapowiedziała się krótkim: „To my" - i weszłyśmy na klatkę schodową.

- No, no! Taka klientka! - Wspinała się po schodach, wspierając się na drewnianej poręczy. - W telewizji jest pani trochę pełniejsza... Ale to jakiś mężczyzna dzwonił. Pani zamiast tego mężczyzny, tak?

– Tak. To mój brat dzwonił.

Na wysokości półpiętra poręcz miała małe wgłębienie. Zawsze utrudniało zjeżdżanie.

– Ja uprzedzałam pani brata przez telefon, że ona jest chora, ta kobieta, początki alzheimera, zdaje się, więc tym bardziej mieszkanie jest do wzięcia. Klatka jeszcze zniszczona, ale zapowiada się generalny remont. Windy nie ma, jak pani widzi, ale... – Przystanęła, patrząc, jak pochylam się nad jednym ze stopni. Jak studiuję popękaną strukturę kamienia. Ten schodek, pęknięty w połowie, rozbito tasakiem do ociosywania pni choinek.

Kto mógł przypuszczać, że ojciec Ani uniesie się kiedyś w górę, związany kaftanem bezpieczeństwa? Że będzie tłukł tasakiem w schody, aż przyjedzie karetka i dwaj pielęgniarze zwiążą go jak schwytanego ptaka? On też nie mógł przewidzieć, że pewnego dnia zobaczy swoje numery totolotka jako największą wygraną. Namówiony przez żonę, raz w życiu je zmienił, i właśnie wtedy zostały wylosowane jako kumulacja, co oznaczało około trzech milionów. Trzaskał drzwiami tak długo, aż wypadły z zawiasów. Potem wyskoczył na klatkę i na oczach nas wszystkich tłukł tasakiem w schody. Uniesiono go w górę i nigdy więcej nie widziałam ojca Ani.

– Idziemy na drugie pięterko, pod siódemkę – powiedziała kobieta. – To dla pani chyba nie za wysoko, dużo ludzi się wycofuje z powodu wysokości. Na drugie idziemy – powtórzyła, widząc, że zatrzymuję się przed drzwiami na pierwszym piętrze.

Drzwi do mojego mieszkania. Za tym drewnianym prostokątem był sześciometrowy korytarz z drzwiami do pokoju rodziców. Za drugimi - pole truskawek.

– A to mieszkanko też będzie wolne niedługo, tak czuję w każdym razie. Pani woli pierwsze piętro? Bo tutaj też - pochyliła się nade mną, szepcząc - emeryci mieszkają, mogę trochę zamącić, jak pani chce... Możemy tu wejść.

– Nie.

Biegłam po dwa schody do mieszkania numer 7, lśniącego jak muzeum, pełnego antyków na jasnej podłodze, biegłam przywitać się z Wdową po Pisarzu, wysoką i wyprostowaną jak żołnierz.

Na klatce, oparta o poręcz, stała staruszka owinięta w szlafrok. Włosy miała niedbale upięte z tyłu. Czekała na nas jak na peronie dworca. Poczułam uścisk dłoni złożonej jakby z kostek ptaka i ciepły oddech tuż przy uchu.

– Ona nie jest nasza.

Patrzyła na mnie zwężonymi oczami.

– Nie nasza, to widać, niech pani nic nie mówi i niczego nie podpisuje.

– Nie mamy dużo czasu - powiedziała agentka i od razu weszła do mieszkania. - Tu jest, widzi pani, jaki wielki korytarz. Można zrobić szafy wnękowe. - Stukała obcasami po szerokich deskach. - Tu jest pierwszy pokój. - Otworzyła podwójne drzwi z szybą ze rżniętego szkła. Na stole o rzeźbionych nogach stał kubek z wiązką długopisów, leżały sterty książek, mapa przedarta w połowie, spodnie od dresu, koc złożony w prostokąt, żelazko. Pachniało stęchłą pościelą. - Tutaj też można zrobić szafy, przestronny pokój, ustawny. Oczywiście do odmalowania - rzuciła, szybko zamykając drzwi. - To najpiękniejszy pokój według mnie. - Zniknęła w głębi, tam, gdzie byłam dwa, może trzy razy w życiu. Pokój-koło. Magiczny pokój, którego jedna ściana była półkolista, przeszklona trzema oknami, gdzie zawsze pachniało pastą do podłogi i jabłkami.

Teraz czułam tu tylko walerianę, na stole stała srebrna taca z kiścią nadgniłych winogron, a na starej rzeźbionej komodzie między kartonikami lekarstw buteleczki oblepione ciemną cieczą. Z trzydrzwiowej szafy wystawał przytrzaśnięty rękaw kwiecistej bluzki. Ściany pokrywały zacieki w różnych odcieniach brązu, jakby ktoś wylał na nie herbatę.

- No i mamy piękny widok na park. - Agentka podeszła do okna i wychyliła się, nie dotykając parapetu.

Ja jednak patrzyłam na lustro szafy, gdzie odbijało się kilka fotografii kobiety w nieokreślonym wieku, jakby ktoś zamówił szereg portretów banalnej twarzy.

- To moja siostrzenica. Jest aktorką. Teraz poszła po cytryny. - Staruszka wspięła się na palce i szepnęła mi do ucha. – Bo tam podobno w spożywczym mają rzucić cytryny, ale niech pani nie mówi tej babie, bo wykupi. – Podchodząc do zdjęć, zmieniła ton na bardziej oficjalny. – Śliczna, prawda? Zęby ma niefilmowe, ale śliczna.

– Tak... bardzo... – skłamałam, usiłując przypomnieć sobie taką aktorkę.

– Nie jest znana. Na szczęście. – Uśmiechnęła się tajemniczo, patrząc, jak podchodzę do przeciwległej ściany, na której wisiała kartka oprawiona w ramki:

„WOLNA OCHOTA"

– To ja drukuję w tajemnicy przed mężem. – Staruszka puściła do mnie oko, zerkając na agentkę, która właśnie w kącie pokoju odebrała telefon. – Nie ma pani pojęcia, jaki wspaniały zapach ma świeży druk. – Zdjęła ramkę ze ściany i wciągnęła głęboko powietrze.

Przeciągły dzwonek. Nie dobiegał z korytarza ani od drzwi wejściowych, i dopiero po trzecim zrozumiałam, że to po prostu dźwięk telefonu stacjonarnego.

Staruszka udawała, że nie słyszy, czyściła rękawem ramę obrazka. Agentka chodziła po korytarzu z komórką przy uchu, a tutaj po kilku dzwonkach coś zaskrzypiało i w sekretarce odezwał się męski głos:

– Mówi Kazimierz Kadej. Będę mówił krótko, bo do tej maszyny nie lubię. Jestem reżyserem filmowym, dali mi do przeczytania wywiad z panią, taki sprzed kilku lat, i jestem naprawdę pod wrażeniem. Poruszony pani życiem, życiem pani rodziny, no i tą tajemniczą śmiercią męża pani siostrzenicy... Właśnie zaczynam film, który dzieje się wśród działaczy Solidarności, ale czegoś takiego sam bym nie wymyślił, czy mógłbym liczyć na jakieś spotkanie? Nie zajmę pani dużo czasu, ja bardzo chciałbym włączyć tę historię do filmu. Będę zobowiązany, jeśli pani będzie tak łaskawa i odezwie się do mnie, teraz jestem trochę zajęty, bo mam zdjęcia próbne do głównej roli w tym filmie, setki aktorek się tu przewijają, a to nie jest łatwe znaleźć kogoś, kto naprawdę pasuje do tamtego klimatu, wie pani, one wszystkie są teraz identyczne... wciskają mi taką Monikę Dawos... no, zresztą rozgadałem się, mój numer...

Staruszka chuchała w szkło obrazu i z wielką uwagą czyściła rękawem powierzchnię.

– Słyszała pani? Był telefon.

– Co? A tak... tak... a o co chodziło?

– Dzwonił reżyser filmowy, chce z panią porozmawiać. Chodzi o historię pani siostrzenicy i jej męża.

– Cicho! Nie przy niej! Ona nie jest nasza! – chrząknęła cicho, kiedy agentka weszła do pokoju.

– Ja panie bardzo przepraszam, ale mam ważny telefon, wyjdę sobie na klatkę, OK? Zaraz wrócę.

– Oczywiście, oczywiście. – Staruszka uśmiechała się jak mała dziewczynka, póki na korytarzu nie trzasnęły drzwi.

– Ubeczyca wstrętna. Na kilometr cuchnie wtyką.

Niesamowite. Niedawno jedliśmy razem obiad – ja, Kadej i Monika Dawos, rozmawiając o tym, czy on słusznie robi, zaczynając ten film. Monika twierdziła, że to już nikogo nie obchodzi, Kazik się odgryzł, że jej to nigdy nie obchodziło, że jeździła sobie po Paryżach, kiedy tu inni ryzykowali więzieniem. Ona wybiegła z restauracji, on za nią, cała awantura ku uciesze innych gości, bo dwoje tak znanych ludzi, którzy ganiają się między stolikami, to jednak niezła atrakcja.

– Czy ty jesteś nasza? – Staruszka patrzyła na mnie promienna, różowa jak poranek.

– Nasza? Tak. Jestem wasza. To znaczy... nasza.

– To dobrze. – Ruszyła w stronę obitych skórą drzwi, tych zawsze zamkniętych, jak muzeum po zmarłym Pisarzu.

– Mam nadzieję, że umiesz mi nastawić Wolną Europę, bo ja już od dawna nie mogę znaleźć, łobuzy tak zagłuszają... – Przystanęła nagle. – Heniek umiał nastawić. Chudzina taki, niezbyt pociągający, prawdę mówiąc, ale za to chłopak złoto – umiał mi tak Wolną Europę nastawić, że prawie wszystko było słychać. Ty znałaś Heńka? Męża Ewuni?

– Tak. Oczywiście.

Stanęłyśmy przed wielkimi drzwiami. Ze skórzanego obicia w kilku miejscach wyłaziła żółta gąbka.

Ten pokój był jeszcze ciemniejszy, może dlatego, że wszystkie ściany zakrywały półki z książkami, na podłodze leżał dywan z wytartym tureckim wzorem, a okna zasłaniały ciężkie kotary. Dopiero po chwili zobaczyłam tapczan, przy którym stało radio z zielonym okiem pośrodku. Na parapecie stała doniczka z na wpół umarłą paprotką – tylko jeden liść pozostał jeszcze zielony, reszta kruszała, sypiąc na parapet brązowy pył. Na półkach z książkami stało mnóstwo drobiazgów, dwa zdjęcia księdza Popiełuszki, medale z napisem Solidarność, plakietki...

– Niech pani ze mną przejdzie.

Staruszka schyliła się i razem otworzyłyśmy paszczę tapczanu.

– Tu było tyle bibuły, że tapczan się nie domykał. Całe sterty – powiedziała, wpatrując się w pustą skrzynię. Powoli opuszczałyśmy wieko.

– Jak tylko zaczęła się opozycja, to oni z Ewunią naturalnie pierwsi byli do tego, ciągle gdzieś chodzili na jakieś zebrania, ja podejrzewam, że Ewa przez to zaniedbała wygląd i karierę, i przytyła na tych kanapkach, i oboje zaczęli palić, więc i cera żółta, i zęby niefilmowe...

Puściła poły szlafroka, odsłaniając koszulę w maleńkie kwiaty.

- Po co tu przyszłam? Niczego nie pamiętam. - Patrzyła na mnie uporczywie, jakby usiłowała sobie przypomnieć, jak się tu znalazłam. - Chcesz czekoladkę? Ja mam siostrę w Ameryce, śle różne rzeczy, ubrania, słodycze, żeby zagłuszyć sumienie. - Ruszyłam za nią w stronę korytarza. Nagle zatrzymała się i zanuciła czystym sopranem: - „Hej, hej sokoły, omijajcie góry, lasy, doły...". Pani to zna?

- Nie. Nie bardzo.

- Śpiewałam to siostrzenicy, kiedy siedziała na nocniczku.

Kiedy weszłyśmy do pokoju, otworzyła szafę i zaczęła szperać w kotłowaninie ubrań.

- Zaraz dam czekoladkę, tylko muszę ją znaleźć.

Wyjęłam komórkę i wybrałam numer Kadeja. Jego stłumiony szept był ledwie słyszalny:

- ...Przeglądam laski do filmu, nic nie mam, są identyczne, rozumiesz? Wszystkie mają nawilżoną skórę i jedwabiste włosy. Nie ma już ani brzydkich, ani pięknych kobiet, bo one są produkowane w tej samej fabryce!

Udawał wściekłość, ale był bliski płaczu.

- Dobra, to posłuchaj. Mam kogoś dla ciebie. Aktorka, która ma przesuszoną cerę i niefilmowe zęby. A przede wszystkim była działaczką Solidarności, autentyczną, z bibułą w tapczanie.

– No, to dawaj ją, na co czekasz!

– Jak się nazywa pani siostrzenica? Jakie ma nazwisko?

– Jak się nazywa? – Staruszka spojrzała na mnie zza stosu ubrań. – Nie pamiętam...

– Ma na imię Ewa i powoła się na mnie. OK?

– Czekam. Pa.

Usiadłam w kłębowisku pomiętych sukienek.

– Ewa dostała rolę w filmie.

– Naprawdę? – Zmarszczyła cieniutką skórę na czole, jakby nie rozumiała znaczenia słów. – Ona jest wolontariuszką, chodzi po tych chorych, aż wstyd. Żeby aktorka i...

– Obejrzała pani tamten pokój? – Wstałyśmy obie, kiedy agentka weszła do środka. Czułam, od początku czułam, że staruszka coś ukrywa, jakieś pytanie, wiadomość, coś, co mnie zaskoczy i dotknie. Od czasu do czasu, kiedy patrzyła na mnie, jej papierowa cera nabierała rumieńców. – No to tam jest łazienka i osobno WC. – Agentka nacisnęła klamkę komórki, w której stał tylko tłusty od brudu sedes, i od razu zamknęła drzwi. Łazienka była otwarta, wejście zawalały sterty bielizny pościelowej, rzucone przy wirującej pralce.

Staruszka człapała tuż za nami, czułam jej napięcie, przyczajenie, ciszę przed skokiem.

– W głębi wanna do wymiany, piecyk też, ale łazienka ustawna... niech pani spojrzy...

Staruszka minęła nas i zagrodziła mi drogę.

– Niech pani odda kredens mamie tej małej Gerci.

Kredens. Jugosłowiański kredens bez jednej nogi... Zajmował całą ścianę naszej kuchni jak pałac.

– Idziemy. – Agentka pociągnęła mnie za rękę. Kuchnia z odrapanymi drzwiami do spiżarni, stołem pokrytym wytartą ceratą i kretonową zasłoną do „służbówki", przesiąknięta była zapachem starej ścierki przerzuconej przez rączkę pieca.

Agentka poruszała się tu jak przewodniczka wycieczek, na którą czeka już następna grupa. Podeszła do drzwi, ale staruszka zagrodziła je i rozpostarła ręce.

– Ja tej pani nie puszczę, jeżeli nie odda pani kredensu mamie małej Gerci. Pani nie miała prawa go kupić. Matka Gerci, co by o niej nie mówić, zapisała się do komitetu kolejkowego pierwsza, mało tego, powiedziała pani o dostawie kredensów, chociaż mogła nie mówić, a pani sprzątnęła jej sprzed nosa ostatni. To jest świństwo, proszę pani.

Bez wątpienia mówiła teraz do mojej matki.

– Taka dostawa zdarza się raz na kilka miesięcy, proszę pani, a pani córka ma lepsze warunki niż Gertruda. Państwo na przykład macie *Encyklopedię*, tom „Man-Nomi", która raczej przydałaby się mojemu mężowi... a to, co wyście z nią zrobili...

Rzeczywiście mieliśmy *Encyklopedię* i był to tom „Man-Nomi". Mama dostała ją przypadkiem, stojąc w sklepie z gospodarstwem domowym, gdzie dowieźli jakieś czajniki, i nagle obok, w księgarni, wyłożono na wystawę kilka tomów *Encyklopedii*. Kupiła ją i pobiegła do domu po pieniądze na czajnik, ale kiedy wróciła, czajników już nie było. Pamiętam to dobrze, ale... „co myśmy z nią zrobili"? Nie pamiętam.

Czy moja matka mogła się tak zachować? Czy ja w ogóle znałam moją matkę? Jaka była, kiedy nie była matką?

– My już pójdziemy, pani obejrzała, zastanowi się, tak? – Agentka ruszyła w kierunku drzwi, staruszka odsunęła się potulnie, ale jeszcze w progu puściła do mnie oko.

– Chcesz czajniczek z gwizdkiem?

Naprawdę tak zapytała.

– Niech pani ruszy wyobraźnią, bo to jest cudo, nie mieszkanie, i ja myślę, że cena do negocjacji. – Agentka zbiegała ze schodów, wpatrując się w zegarek. – Zresztą ona jest przyciśnięta do muru, bo tutaj czynsz się podnosi, a ona ma kiepską emeryturę. Ja się, proszę pani, wywodzę z innej, że tak powiem, strony medalu, i prawdę mówiąc, nie mam wielkiego poważania dla tych solidaruchów, może mnie pani potępiać, ale nie mam.

Zatrzymałyśmy się na środku podwórka.

– Czy pani ma telefon do jej siostrzenicy?

– Mam, ale... pani wie, co pani podpisała? Że to mieszkanie może pani kupić tylko przez naszą agencję. Pani wie, co grozi za próby ominięcia umowy? Żadnych kontaktów poza agencją, i radzę to pani tak z życzliwości. A telefon mogę dać.

Otwierając skórzany notes, nie przestawała mówić.

– To co, przemyśli pani? To dla pani czy dla brata?

– Dla brata, ale on jest za granicą. Dam mu znać. Zadzwonię.

– OK. – Podała mi wizytówkę „Locallus – Agencja Nieruchomości" z dopisanym na dole numerem. – To jesteśmy umówione, ale proszę nie próbować na własną rękę. Już jest pani u nas na wyłączność. – Odeszła, patrząc na zegarek.

W kawiarni było pusto, kiedy weszłam, kelnerka szybko zgasiła papierosa. Dopiero po chwili zobaczyłam tam jeszcze mężczyznę w czarnej kurtce. Miałam wrażenie, że nie drgnął od kilku godzin.

Wszystko odbyło się w milczeniu – podałam banknot, dostałam resztę, zostawiłam napiwek na ladzie, wychodząc, zanuciłam *Strawberry*.

Otworzyłam komórkę i odsłuchałam nagranie. Głos Gertrudy był piskliwy, jak każdy głos w stanie histerii.

– Jak mogłaś mi to zrobić! Jak mogłaś jej to zrobić! Co jest w tobie takiego, że pozwalasz sobie na kpiny z czyjegoś życia! Ona wróciła do domu nieprzytomna! Zamknęła się w pokoju i płacze. Ja nie wierzę, że ty jej kazałaś szukać swojego brata, zamiast żeby pisała tę pracę! Nie wierzę! Możesz mi wyjaśnić dlaczego? Jak ty... - Nagranie się urwało.

Kiedy odjeżdżałam spod kawiarni, za szybą stała tamta kelnerka, ale nie jestem pewna, czy patrzyła na mnie, czy dalej, na przeciwległe kamienice.

- Gertruda? Mówi Marianna. Słuchaj, ja...

- Przyjeżdżasz? - Jej głos w niczym nie przypominał tamtego. Był radosny i przemieszany ze śmiechem innych kobiet. - Czekamy na ciebie.

- Wiem, jadę, ale chciałam ci wytłumaczyć, dlaczego to zrobiłam.

- Nie musisz. Stał się cud. Ona wzięła notatki i poszła do biblioteki. Nie będę ci powtarzała tych przekleństw, z którymi wybiegła, ale nagle nabrała nowych sił, wiesz?

- Wiem. Skoczyła jej adrenalina. Neuroprzekaźniki zaczęły lepiej pracować. Dostała zadanie niewykonalne, więc zabrała się za wykonalne. Pa.

Zamknęłam telefon, a przecież to nie było to, co chciałam jej powiedzieć. Otworzyłam telefon.

- Możesz wyobrazić sobie ocean?

- Co?

- Ocean. Wielki, czysty, czasem wzburzony, czasem spokojny, ale zawsze w ruchu, zawsze żywy. Możesz?

– Mogę.

– Dobrze. A teraz wyobraź obie ogromne wysypisko śmieci. Chyba widywałaś coś takiego.

– Nie wiem, co...

– Ogromne jak ocean. Wielkie, kolorowe góry papierów, nieokreślonych odpadów, mebli, lalek, długopisów, okularów, szkiców, strojów baletowych...

– No, mogę sobie wyobrazić, i co?

– I teraz wrzuć to wysypisko do tamtego oceanu. Lalki, szkice, stroje baletowe, meble, długopisy poddaj falom, sztormom, zobacz, jak fala rzuca je w górę, jak unosi to starą księgę, to kredens, jak nad oceanem góruje wenecka maska... A potem wyobraź sobie, że przychodzi noc. Na gładkiej tafli bujają się tylko niektóre przedmioty, okaleczone, bez przyszłości. Wszystko otacza mgła. Lepka, rozrzedzona jak ślina... cokolwiek by się zdarzyło, jest daleko, jest za mgłą. I tak do następnego sztormu.

– I co?

– I to właśnie dzieje się w głowie twojej córki.

Zaraz potem zadzwoniłam do Ewy, ale nie odebrała.

– Dzień dobry pani, mówi Marianna Partyka, jestem przyjaciółką reżysera Kazimierza Kadeja, który jest zainteresowany panią w związku ze swoim nowym filmem. Bardzo prosił o kontakt. Jego numer...

Zbliżałam się do domu Gertrudy, mijałam kamienicę za kamienicą i wtedy nagle stanęło mi w oczach moje pierwsze małżeństwo. Henia była naprawdę dobrym mężem i kochającym ojcem. Mężczyzna ten pracował w nieokreślonym urzędzie. Nasz dom, pełen milczącej krzątaniny, był obrysowany kredą i mieścił się przy wejściu na klatkę schodową.

Anna pracowała w sklepie, na terenie piaskownicy. Kiedy akcja przenosiła się do mieszkania, sprzedawczyni patrzyła bezczynnie w przestrzeń podwórka, otoczona ścianami z powietrza.

I jeszcze był Umęczony Wędrowiec, człowiek, który wypływał często na morze. Postać znikąd, bez cech szczególnych, ktoś, kogo matka znajduje na ulicy. Ich spotkanie przenosi się do łodzi podwodnej, czyli do piwnicy, gdzie nikt nie ma dostępu. Umęczony Wędrowiec to była Gertruda.

Życie mieszkańców domu przy klatce schodowej komplikowały śmiertelne choroby córki, umęczeni wędrowcy i powodzie, a wszystko kończyło się

w Godzinie Powrotu,
kiedy cień padał na podwórko
i wypijał ostatnie promienie
zachodzącego słońca.

Musiałam kilkakrotnie dzwonić, żeby ktoś wreszcie zawołał: „Otwarte!".

Idąc korytarzem, słyszałam ich przyciszone głosy. Kiedy zbliżałam się do drzwi, umilkły.

Tak jak się spodziewałam, pośrodku pokoju paliła się świeca. Siedziały na podłodze, każda miała przed sobą kieliszek wina, jeden stał pusty i pewnie czekał na mnie.

Pierwsza wstała Anna.

– Cześć, gwiazdo.

Zaskoczyła mnie trochę strojem. Miała na sobie coś w rodzaju dresu, coś domowego, jakby przyjechała na działkę. Szła do mnie z otwartymi ramionami, w samych skarpetkach, taka naturalna w swojej obfitości... Zesztywniałam, gdy mnie objęła i przytuliła macierzyńskim gestem osoby w pełnej harmonii ze sobą i światem. Wzięła mnie za rękę i podprowadziła do siwej kobiety, która ściskała w ręku torebkę, błyszczącą jak świeżo wypastowane buty.

– Henryka jestem. Bo może nie pamiętasz. – Nie było jej łatwo podnieść się z podłogi.

Nie poznałabym tej twarzy bez śladów walki z czasem, jak u kobiet z wymierających wiosek. Wyglądała jak nasze prababcie, jak nianie z bajek.

– Cześć. No pewnie, że poznaję.

Mimo wysokich obcasów była mniejsza niż kiedyś, może przez nieforemną sylwetkę, pękaty brzuch, chude nogi i płaski biust. Podała mi rękę i właściwie dopiero teraz ją poznałam. Henia zawsze podawała rękę jak „zdechłą rybę". Jakby jej ręka nie miała mięśni, jakby nie trzymały jej żadne więzadła. Było coś ohydnego w tej dłoni pozbawionej życia i dlatego zawsze unikałyśmy podawania ręki Heni.

– O czym mówiłyście?

– O niczym. Gertruda śpiewała *Yesterday*.

Usiadłam na podłodze. Henia, ściskając pasek torebki, usiadła obok. W świetle świecy wyglądałyśmy jak fotografia w sepii.

– Kiedy zastrzelili Johna, poszłam do kościoła. Modliłam się za niego i za was.

– Kiedy umarł George, nie mogłam sobie darować, że nie zrobiłam wszystkiego, żeby go poznać. – Gertruda wypiła łyk wina i wpatrywała się w świecę. – Byłam wściekła, że się poddałam, przecież to nie tak trudno dotrzeć do człowieka, który żyje na tej samej planecie, w tym samym czasie... Coś dla was mam – powiedziała nagle i wyjechała z naszego koła.

Spojrzałyśmy po sobie i wymieniłyśmy się uśmiechami. Ta ruda pankówa na wózku nie zmieniła się w ogóle, ona jedna była tą samą osobą, z którą wchodziłyśmy na drzewo. Tylko Henia patrzyła ze zgrozą na jej kolczyki w nosie i tatuaż na ramieniu. Gertruda podjechała do nas z grubą kopertą. Wyciągnęła z niej pomięte, pozaginane kartki ze zdjęciami miast.

Wzięłyśmy po jednej, jak karty do gry. Każda z nas powąchała swoją.

Paryż wieczorem – najweselszy cmentarz świata... Dziesiątki świec na kawiarnianych stolikach.

Pod parasolami kobiety ubrane w kostiumy z miękkiej wełny, pachną Chanel N° 5. Ten zapach odczuwa się tym silniej, im dłużej patrzy się na pocztówkę. Każdej osobie przy stoliku nadałyśmy imię.

Nowy Jork. Na skrzyżowaniu ulic, na tle budynków, które wyglądają jak ogromne papierosy, stoi uśmiechnięty Murzyn w szkockiej spódniczce. Patrzy na nas, świadomy, że robią mu zdjęcie. Z szyi zwisa mu tabliczka z napisem „Homeless". Nazywałyśmy go Harry.

Londyn. Z taksówki pękatej i czarnej niby mucha wysiadła para małych dzieci ubranych jak porcelanowe lalki albo jak mali aktorzy niemego filmu. Koronki dziecięcych kołnierzyków, biel podkolanówek, miękki zamsz bucików widać nawet bez szkła powiększającego. Dzieci biegną w kierunku ogrodu, w którym stoją wiklinowe fotele. Siedzą w nich mężczyźni o pociągłych twarzach, pochyleni ku sobie, nie zwracają uwagi na brzydkie żony w pięknych kapeluszach.

Madryt. Wibrująca kolorami sylwetka Tańczącej - jej spódnica rozdzieliła się na wiele spódnic, na wiele chwil z życia spódnicy przed i po zdjęciu. Wachlarz, też w ruchu, jest kolorową impresją wachlarza. Doskonale widać gości kawiarni. Ich uniesione ręce wybijają rytm tańca, rytm muzyki, rytm gitary, którą trzyma Antonio. Antonio ma opuszczone oczy, czoło zmarszczone i jest skupiony na strunach, jakby gitara była jego kochanką.

Pod szkłem powiększającym można było zobaczyć nawet filiżanki podnoszone do ust. O czym oni tam mówią? O czym się rozmawia w kawiarenkach z parasolami?

W Polsce ich nigdy nie będzie.

Siadałyśmy za stołem, zakładałyśmy nogę na nogę. To oznaczało, że jesteśmy w Paryżu. W Paryżu zakłada się nogę na nogę.

- Łi? Kafe?

- Łi kafe.

- Bą.

Krótkie były nasze zabawy w Paryż.

- Daj mi to. - Gertruda podjechała do mnie i wyciągnęła rękę po maleńki scyzoryk. Bawiłam się nim od początku rozmowy. Leżał na wierzchu pudła, nawet nie zauważyłam, co to jest, dopiero kiedy kazała go oddać, zobaczyłam, że to mały, stary scyzoryk. I jeszcze... ale o tym pomyślałam dopiero później... zobaczyłam, że Anna z Gertrudą popatrzyły na siebie, a w ich spojrzeniu był popłoch. Wtedy nie poświęciłam temu uwagi, ale moja pamięć zrobiła bardzo wyraźną fotografię.

- No to za przyszłość. - Zastanawiałam się, czy Gertruda powinna pić alkohol, ale nie miałam odwagi zapytać.

- Możesz pić? Prowadzisz. - Anna wyciągnęła rękę, więc na wszelki wypadek wypiłam swoje wino natychmiast i do końca.

– Zostawię tu samochód.

Też patrzyłam na płomyk, ale nie mogłam się skupić, bo Anna, której kieliszek był pełny, przyglądała mi się uważnie, można powiedzieć, że mnie studiowała.

– A ty nie chciałabyś poznać Paula?

– No, nie chcesz mi powiedzieć, że mam się starać, żeby poznać osobiście Paula McCartneya.

– Ja nie mam takiego problemu. – Anna uśmiechnęła się do płomyka. – Miałam nieudany związek z Ringo i wcale nie chciałabym go poznać. Zresztą...

– No, dobrze. Obejrzałaś zdjęcia? – zapytała Gertruda i wyciągnęła rękę po butelkę. – Pokażesz nam?

– Oczywiście zapomniała ich wziąć. – Henia też uśmiechnęła się do płomyka.

– Tak. Zapomniałam.

Chyba wyczuły, że nie chcę mówić o zdjęciach. Może nawet wiedziały, że myślę o ucieczce, że po kilku minutach mam ich dość, że cała ta sytuacja jest ostatnią, w którą powinnam dać się wciągnąć. Że chcę po prostu wstać i wyjść pod byle pretekstem, zanim padnie inne pytanie.

– Dzwoniłaś do brata? Powiedziałaś mu o dziecku?

Henia wzięła swój kieliszek i pociągnęła duży łyk wina. Płomyk wił się jak na torturach, kiedy zbierałam się do powiedzenia prostego zdania: „Nigdy nie miałam brata".

To było coś w rodzaju skoku do wody. Trzeba tylko nabrać powietrza.

Nigdy nie mogłam skoczyć do wody. Dzicy skakali jak delfiny, ufali własnym ciałom, ufali wodzie, oderwani od desek basenów w ułamku sekundy pozbywali się ciężaru, a ja, stojąc na deskach rozhuśtanych przez dzikich, robiłam się ciężka jak kamień. Teraz czułam to samo. Jedno zdanie: „Nigdy nie miałam brata" – nie mogło się odbić od ziemi.

– Rozmawiałaś z bratem? Powiedziałaś mu?

– Jeszcze nie.

– Powinien wiedzieć, że ma dziecko.

– Córkę. – Henia sennie podniosła głowę. – Ona urodziłą córkę. A przedtem... jeszcze w ciąży, siedziała w więzieniu. Z tego, co wiem, chodziło o jakąś kradzież... ale to... – Spojrzała na mnie niepewnie. – Teraz tak myślę, że to mogło być związane z twoim bratem. Ja dużo o tym nie wiem, ale mój ojciec jako dozorca... on miał obowiązek wiedzieć, co się dzieje w dzielnicy... no więc wiadomo było, że Cygan trochę rozrabiał politycznie. Wydawał jakieś gazetki podziemne, tę „Wolną Ochotę" i... – chrząknęła cicho – ...mnie nie wolno było mówić o tym, co słyszałam w domu. Ale wiedziałam, że ta córka kwiaciarki miała romans z twoim bratem. Kiedy ją wsadzili za kradzież, bo znaleźli u niej znaczone sto złotych...

Spojrzałam na Gertrudę. Pudło, w którym znajdował się stuzłotowy banknot, leżało tuż przy niej.

– ...u mnie mówiło się, że jej to podrzucili, że tak naprawdę chodzi o Cygana. Żeby wydała, gdzie można go znaleźć.

– Ale nie wydała, jak widać. – Zdawało mi się, że Anna patrzy z niechęcią, jak dolewam sobie wina. – Pewnie nieźle ją maglowali. Ja myślę, że musisz mu to wszystko opowiedzieć. A on powinien się z nią skontaktować, bo to prawdopodobnie osoba, której zawdzięcza życie. Nie denerwuj się tak! Spójrzcie, ona jest cała mokra!

Nie byłam wcale mokra, tylko czerwone wino źle na mnie działa. Stąd to drżenie, kiedy dotknęła mojej dłoni.

– Co zrobisz? Takie to były czasy. Nie ona jedna cierpiała niewinnie. A twój brat... paru psychoanalityków nieźle na nim zarobiło. Miłość do kogoś, kogo się nie zna i nigdy nie widziało, nadaje się do psychiatry.

Gertruda poprawiła się na wózku.

– Zresztą wszystkie kochałyśmy się w twoim bracie.

Henia roześmiała się cichutko i sięgnęła po swoje wino.

– Może masz jego zdjęcie?

– Zdjęcie? Nie, nie mam. Nie mam przy sobie.

– Ale tak w ogóle masz?

Po co powiedziałam „przy sobie"! Mogłam przecież poskarżyć się, że unikasz fotografii... ze względu na twoją misję... Ale skoro „nie mam przy sobie"...

– Przyślesz mi? Bardzo cię proszę...

– Jasne. Przyślę ci.

Płomyk wiercił się na świecy płaskiej jak ucięty pień.

– Paula jest córką George'a Harrisona – powiedziała nagle Gertruda. Miała w ręku pocztówkę z Madrytem i wpatrywała się w nią uważnie, jakby to zdanie rzucił ktoś inny.

Henia, tak Henia, chyba zapytała...

– Jak to... Co ty mówisz...?

Gertruda zawsze zamykała oczy, kiedy mąż przysuwał się do niej. To był odruch, nad którym nie umiała zapanować. Kiedy leżeli obok siebie po wszystkim, nigdy nie była pewna, czy mąż nie słyszał, jak krzyczy „George!", bo coś takiego mogło się wydarzyć, skoro zawsze widziała jego twarz, no... w tym momencie. Każdego ranka przy śniadaniu Gertruda myślała o tym, że jest podła. Kiedy zdarzył się ten wypadek, odeszła od męża, to znaczy odjechała (śmiech), bo to był jakiś znak, że musi zacząć wszystko od nowa. Kiedy mu powiedziała, że zawsze był ktoś w jej życiu, że czuje się nieuczciwa, wziął to za skutki wypadku i posłał ją na tomografię mózgu.

– I do dziś nie wiem, czy mam powiedzieć Pauli, kto jest jej ojcem.

Ledwo powstrzymałam się od uwagi, że George na pewno nie miał ADHD, więc Paula ma to po matce. Patrzyłam na płomyk, który trzymał się już tylko płaskiej plamy stearyny, i ciągle czułam na sobie wzrok Anny.

– Aniu, ty miałaś zostać sędzią, pamiętasz? Skończyłaś prawo? – zapytałam jakoś w związku z tym płomykiem.

– Tak. Skończyłam. Ale nie zostałam sędzią – mówiła z takim przejęciem, jakby to miało ogromne znaczenie. – Nie zajęłam się prawem, to znaczy prawem jednostki. Widziałam się raczej... w prawie międzynarodowym. Tak to można powiedzieć. A ty? – zwróciła się do mnie. – Rozumiem, że nadal Michel, że nadal reportaże i szybkie samochody, tak? A co teraz robisz? Jedziesz gdzieś?

– Nie, teraz siedzę przykuta do biurka. – Jak mogłam powiedzieć przy Gertrudzie „przykuta"! – Piszę relację z nieszczęsnego porwania, ma być z tego książka. – Starałam się mówić, trochę bagatelizując, żeby Gertruda mogła to znieść.

Nagle Anna zerwała się z podłogi. Było to tak niespodziewane, że złapałam swój kieliszek, chroniąc w nim resztki wina. Anna powiedziała:

– Czy możesz pójść ze mną do kuchni? Proszę cię na chwilę. Przepraszam, ale muszę z nią porozmawiać. Potem już nie będzie okazji.

Poszłam z nią korytarzem...

KILKA SŁÓW O TYM, CO MYŚLI CZŁOWIEK PRZY OKNIE

...let mi tejk ju dałn koz ajm...

...Kiedyś siedzieli z kumplami nad słownikiem

i próbowali tłumaczyć słowa ze słuchu, ale to się nie udawało – w słowniku były zupełnie inne litery, niż było słychać. W ogóle coraz więcej angielskich słów zaczęło mu chodzić po głowie – schodziły się jak na koncert. Na przykład słowa piosenki *Hey Bulldog*, co znaczy chyba, „hej, buldogu":

Czajd lajk
Nołan anderstend
Dżak najf
In jor słeti hends.

✦

Zdążyłam jeszcze chwycić kieliszek, bo miałam cichą nadzieję, że Ani chodzi po prostu o wino. Może chciała napić się trochę po podróży, a mogła być skrępowana chorobą Gertrudy i jako najbardziej odpowiedzialna z nas wszystkich uważać, że przy niej nie należy tego robić... Nie miałyśmy problemu ze znalezieniem kuchni. Na stole leżała ta sama cerata w niebieską kratkę, przy ścianie stał ten sam biały kredens z szybkami jak z domowej apteczki, co parę lat malowany przez mamę Gertrudy, która uparcie chciała przerobić go na luksusowy mebel. Wyglądał jak wielka szpitalna szafka.

Kredens. Nasz jugosłowiański kredens, wystany w kolejce przez mamę, stanął we wnęce kuchni na trzech nogach, bo jednej brakowało. Podłożyliśmy pod niego... *Encyklopedię*!!!... Żadna inna książka tak nie trzymała go w pionie.

Na stole stała butelka wina. Kiedy Anna usiadła, wpychając się między stół a ściankę kredensu, sięgnęłam...

– Schowaj to – powiedziała tak stanowczo, że postawiłam butelkę pod stołem. – Siadaj.

Usiadłam naprzeciwko okna. Widać stąd było mur z wystającymi cegłami, ale nie powiedziałam o tym Annie.

– Więc mówisz, że piszesz książkę?

– Tak.

– I że to będzie książka o twoim porwaniu?

– No, w każdym razie głównie o tym.

– I o uwolnieniu, prawda?

– No jasne. Opisuję wszystko, od początku do końca.

Ania oparła się o ścianę kredensu i patrzyła na mnie uważnie. Ona jedna nie piła wina, a mimo to miała wypieki, jak w gorączce, nawet chciałam jej powiedzieć...

– A jaki był ten szczęśliwy koniec?

– No więc właśnie... – Przecież mogłyśmy o tym wszystkim rozmawiać tam w pokoju, przy dziewczynach. – To będzie pewne zaskoczenie. Według prasy zostałam „odbita z rąk oprawców". Chciałam to dementować, ale potem pomyślałam sobie: „Niech im tam będzie". Zwłaszcza że jakoś nie wypytywano mnie o szczegóły, może takie są zasady, nie wiem. Ale teraz warto już opowiedzieć, jak było, nawet jeśli prawda jest dużo bardziej banalna. Po prostu dano za mnie okup. Ktoś mnie wykupił.

KILKA SŁÓW O TYM, CO MYŚLI CZŁOWIEK PRZY OKNIE

Jesterdej, ol maj trabls...

Wczoraj. Co wczoraj? Co?

...Czajd to jest dziecko. Najf nóż. Dziecko i nóż. Słeti hends - spocone ręce. Nóż w spoconych rękach dziecka. Bez sensu.

✦

Ale Anna nie była zaskoczona.

- A skąd wiesz, że tak było?

- Po prostu widziałam. Jeden z tych chłopaków przyszedł pewnego dnia, zwołał resztę i pokazał im plik forsy. Godzinę później wsadzili mnie do ciężarówki, a po krótkiej jeździe zostawili na drodze. Byłam pewna, że tam skonam, w tym upale, w tym piekle, i nagle usłyszałam helikopter. Myślałam, że mam majaki, ale helikopter wylądował na tej drodze, wsiadłam i doleciałam do bazy. Wieźli mnie jacyś biali, ale do dziś nie wiem kto, przez całą drogę nic nie mówiliśmy, a kiedy doleciałam, były tylko zdawkowe pytania w rodzaju: „Czy dobrze cię traktowano", no to odpowiadałam, że dobrze.

- Nie możesz tego napisać. - Ania patrzyła na przeciwległy mur, jakby się bała, że ją osłabi jedno spojrzenie. - Nie wolno ci.

– Ale czego nie wolno...

– Napisać, że dali za ciebie okup. Nie wolno ci napisać tej książki. Nikt nie może się dowiedzieć, że zapłacono za ciebie okup. Jeśli nawet wychlapałaś to jakimś znajomym, to pół biedy, byle tylko nie zostało opublikowane.

– Ale o co chodzi? To się zdarzyło pięć lat temu!!! Od tego czasu świat się przekręcił kilkakrotnie, ci ludzie już pewnie nie żyją...

– Zapomnij o tym. Pięć lat to cholernie mało, to jest nic, jeśli chodzi o takie idee. Tamci ludzie żyją, nawet jeśli wyeliminowano ich fizycznie. Po prostu żyją inni, tacy sami jak oni. Nazwiska, imiona nie mają tu żadnego znaczenia. Musisz zrezygnować z tej książki.

Zdecydowanie, demonstracyjnie sięgnęłam po butelkę. W szufladzie kredensu znalazłam stary korkociąg.

– No więc, Aniu, nie zrezygnuję z tej książki. – Kiedy nalewałam wino, ręka mi drżała i nie mogłam jej opanować. – Nie chcę i nie mogę. Po pierwsze, wzięłam ogromną zaliczkę.

– To oddaj. – Anna zabrała mi butelkę i odstawiła pod stół. – Ile wzięłaś?

– Jakie to ma znaczenie? Dużo. A nawet gdybym wzięła mało...

– Rozumiem. – Anna mówiła bardzo spokojnie, co zawsze oznaczało, że jest zdenerwowana. – Więc proszę cię przynajmniej, żebyś zmieniła zakończenie. Bardzo cię proszę.

– To znaczy, co mam napisać?

– Że cię odbito. Tak, jak podała prasa. Opisz to, jak chcesz, zmyślanie zawsze było twoją mocną stroną, a wiesz, co znaczy dynamiczna akcja.

Niewiarygodne. Zawsze ten pouczający ton, te dobre rady, od których zbiera się na płacz. Nie może znieść, że ja też wygrałam, że jej piątkowe świadectwa okazały się tyle samo warte, co mój letarg i tępota.

– Nie jestem od literatury pięknej. Gdybym chciała robić komiksy, to bym robiła. Ta książka to ślad po moim życiu. I mnie to jest potrzebne. Pomijając już, że mam zobowiązania. Kto, jak kto, ale ty powinnaś to zrozumieć. – Nie sądzę, żebyś w swojej pracy zmieniała fakty na wygodniejsze i efektowniejsze kawałki.

– A... jeśli ci powiem, że chodzi o czyjeś życie? W fizycznym sensie? Jeśli ci powiem... że chodzi o moje życie?

Patrzyła w okno, na mur, a przecież była z tych, co zawsze patrzą prosto w oczy, nawet za głęboko, z troską, od której robiło się ciężko na duszy.

– Jak to? O twoje życie?

– Najlepsi ludzie rozpracowywali twoją sprawę. I powiedzieli, że akcja zbrojna nie ma szans. Że zginiesz po prostu.

Teraz zrozumiałam. Dlaczego objęła mnie z tą macierzyńską czułością i trzymała w ramionach jak kogoś najbliższego. Dlaczego kołysała mnie jak dziecko.

Owszem, w namiocie myślałam o Annie, marzyłam czasem, że się z nią porozumiem, ma przecież swoje dojścia, ale były to raczej gorączkowe rojenia.

– I tak mi po prostu powiedzieli. „Ona zginie".

– Zaraz! – krzyknęłyśmy jednocześnie, kiedy ktoś zapukał do drzwi. Usłyszałyśmy skrzypienie wózka.

– Gdybyś to nie była ty albo gdyby na moim miejscu był ktoś inny... Decyzja o okupie to naprawdę ostateczność i nie było mi łatwo ich przekonać. Każdy okup to przyzwolenie na następne porwania. Toteż trzeba było ogłosić twoje uwolnienie jako zwycięstwo akcji militarnej, na co, rzecz jasna, nie chciała się zgodzić tamta strona. Dlatego okup był naprawdę duży.

Siedziała oparta o kredens, dłonie miała zaciśnięte, jakby zrobiła coś złego.

– Napisałam do ciebie list. Myślałam, że na piśmie będzie mi łatwiej. Ale nie jest.

Sięgnęła do torebki i wyjęła stamtąd kaligraficznie zapisaną kartkę, ale cofnęła rękę.

– Żeby złożyć okup, trzeba, jak się domyślasz, dotrzeć do ludzi, którzy mają kontakt z porywaczami. Cień kontaktu. To jest misterny łańcuszek z fałszywymi ogniwami. I oczywiście wszystko jest możliwe, jeśli się ma pieniądze. Tyle tylko, że taki kontakt to skarb dla tych, którzy chcą rozpracować terrorystów, a więc działają w dobrej sprawie. Więc kto nawiąże kontakt, jest moralnie zobowiązany powiadomić o tym służby.

Znowu ktoś zapukał. Ania uchyliła drzwi, mruknęła coś i wróciła pod kredens.

– Trzeba się było dogadać. Gdyby ktokolwiek z mojego otoczenia dowiedział się, że moi ludzie dotarli do pewnych kręgów, wymagałby ode mnie – i słusznie – żebym zdradziła każdy szczegół, każdy krok, adres i nazwisko. Z drugiej strony trzeba było zdobyć bezwzględne zaufanie tych ludzi i w jakimś sensie przejść na ich stronę – choćby poprzez milczenie. Musisz pamiętać, że skończyły się czasy, kiedy tamten świat zamykał się w swoich granicach i w Europie byliśmy bezpieczni. Zemsta jest wszędzie możliwa. I nie ma znaczenia, czy ci ludzie żyją, czy nie. Żyją następni. Dlatego proszę, żebyś nie publikowała tego, co wiesz, i w ogóle nie publikowała niczego na temat tamtych wydarzeń. A jeśli musisz, to zmyślaj. Żadnych prawdziwych rysów twarzy, ubrań, miejsc. Jeśli to zrobisz, już nigdy spokojnie nie zasnę.

Anna wstała, a ja myślałam tylko o tym, jak oddalić chwilę, kiedy będę musiała coś powiedzieć. Przecież nie mogłam, nie mogłam, na litość boską, zrezygnować z tej książki!

– Aniu...

– Nie musisz dziękować, po prostu nie publikuj tego, co przeżyłaś.

– A... ta góra pieniędzy? Ta wielka suma? Skąd... czy ty...

– To nie były moje pieniądze.

Drzwi otworzyły się nagle i na środek kuchni wjechała Gertruda.

KILKA SŁÓW O TYM, CO MYŚLI CZŁOWIEK PRZY OKNIE

Szi lawz ju je je je
Szi lawz ju je je je...

To jest łatwe. Nie mógł przypomnieć sobie twarzy kobiety, która stała odwrócona w stronę ekspresu do kawy. Kiedy przyniosła mu papierosa, skulił się i odwrócił głowę do okna. Jak zawsze. Nie znosił tej kobiety. Kiedy podchodziła do niego, odwracał głowę. Nie znosił jej, nie pamiętał jej twarzy, choć mijał ją codziennie, kiedy pochylała się nad ekspresem do kawy jak nad hostią, a to powinno go do niej zbliżyć. W końcu to ciekawe, że oboje zawsze robią to samo o tej samej porze. On wchodzi do kawiarni zawsze o jedenastej cztery, a ona zawsze pochyla się nad ekspresem. On widzi wtedy jej plecy i kawałek szyi... Zawsze na widok tych pleców odwraca głowę, przyspiesza kroku i zmierza prosto do stolika. Zwykle wtedy w jego głowie przepływa nitka ze słowem „tajemnica" – przepływa i znika.

✦

Idąc za Gertrudą i Anną, oparłam rękę o drzwi naprzeciw kuchni. Tam kiedyś był pokój Gertrudy, tam oglądałyśmy pocztówki, tam... Drzwi ustąpiły dziwnie łatwo.

Czerwone ściany, kanapy z poduszek, na których leżało kilka par spodni i skarpet, książki w chaotycznych stosach. Na ścianach mapa, plakat zespołu Rękaw Wariata, akwarela przedstawiająca krzesło na skale (chyba własna) i kalendarz z zeszłego roku. Na korkowej tablicy duża kartka:

Obciąć paznokcie
Napisać książkę
Farba do włosów dla mamy
Nauczyć się Dezyderaty
Kamil mnie nie kocha

Na brązowym biurku miniatura wysypiska śmieci: dwa stare ogryzki, stosy ołówków, niedojedzona kanapka, pluszowy miś, latarka, wielkie szklane oko (rzeźba chyba) - wszystko pośród stosu papierów.

Pokój Pauli. Pokój z zespołem dekoncentracji uwagi.

Już chciałam się wycofać, już zamykałam drzwi, kiedy nagle dotarło do mnie, że ciągle stoi tu stara, przedwojenna, trzydrzwiowa szafa. Może nie tak wielka jak kiedyś, ale z pewnością ta sama. Szafa, do której Anna nigdy nie chciała wejść, co było bardzo zabawne. Nie było przy niej innej, małej szafki, która spełniała wtedy funkcję drabiny, ale to chyba już nie ma znaczenia – tak pomyślałam, wracając do dziewczyn.

Butelka była już prawie pusta, a Henia miała takie wypieki, jakby poważnie skoczyło jej ciśnienie. Stała w niewielkim rozkroku, jak marynarz na pokładzie. Ja zresztą pewnie też, jak zawsze po winie, czułam się tak, jakbym miała wysoką gorączkę. W każdym razie mogły tak pomyśleć, kiedy powiedziałam:

– Chodźmy tam. Oni czekają.

Nie było sprzeciwu.

Poszłyśmy gęsiego, od czasu do czasu łapiąc się ścian korytarza. Gertruda jechała ostatnia, ale przed drzwiami puściłyśmy ją, żeby sama otworzyła swój pokój. Weszłyśmy nieśmiało, jak wchodzi się do świątyni.

Siedzieli osobno, w różnych kątach. Paul stukał palcami w blat biurka. George siedział na podłodze i przeglądał album o Indiach, John leżał na łóżku i czytał *Sto lat samotności*, a Ringo usiłował wprawić w ruch hula-hoop. Jak zwykle nie zwracali na nas uwagi. Nasza obecność, nasze powroty nie robiły na nich wrażenia.

To chyba ja zapytałam, gdzie jest adapter.

– Nie ma. – Henia wypowiadała z trudem te dwa proste słowa, ale dalej nie wypuszczała z rąk torebki. – Nie ma adaptera. Za późno.

– Nieprawda. Jest adapter. Tylko muszę wrócić do pokoju, bo już go zapakowałam do pudła – mruknęła Gertruda.

Kiedy tylko zniknęła w drzwiach, spytałam:
– A może któraś z was pojedzie do Ameryki? Chociaż na chwilę? Chociaż na pięć minut?

Ze względu na nieobecność Gertrudy był to naprawdę dobry moment na Amerykę. Poszukiwania adaptera zajmą jakiś czas, więc nie będzie jej przykro, że nie może z nami pojechać.

Przysunęłam krzesło i położyłam ręce na zakurzonym gzymsie szafy. Henia krzyknęła: „Uważaj!", ale niepotrzebnie, bo chociaż szafa się poruszyła, a krzesło odjechało spod nóg, znalazłam się w Ameryce za pierwszym podejściem. Ze smutkiem stwierdziłam, że żadna z nas już się tu nie zmieści: odległość od sufitu zmalała i trzeba siedzieć ze zgiętym karkiem.

– Oszalałaś? – krzyknęła Gertruda. – Ta szafa zaraz się na nas zwali!

– Aj dont anderstend – powiedziałam.

Kto znalazł się w Ameryce, nie miał prawa rozumieć po polsku.

– Przestań się wygłupiać. – Henia podeszła do szafy i patrzyła w górę.

– Łot did ju sej? – zapytałam, ale nie byłam ciekawa odpowiedzi, bo właśnie...

– Dżizas!

Ledwo go wyciągnęłam ze szpary między szafą a ścianą. Już prawie się zsunął. Pokryty tynkiem, bladoniebieski, szesnastokartkowy zeszyt w kratkę. Otworzyłam go na pierwszej stronie, ale żeby odczytać tekst, musiałam zetrzeć warstwę kurzu. Cała modlitwa wypisana była kaligraficznym pismem Ani. Tekst był mój, a Gertruda starała się skomponować coś w rodzaju kościelnej pieśni. Dżizas!

Daj Nam Panie Boże Wielką Amerykę
Niechaj się kochamy tak jak tam
Spraw to Panie Boże
Odmień nasze życie
Daj nam Amerykę, daj ją nam.

Ameryko Ameryko raju nasz
Kraju życia i kraju miłości
Przypłyń do nas przyjedź do nas odwiedź nas
Wtedy u nas też szczęście zagości

Daj Nam Panie Boże Wielką Amerykę
Niechaj się uśmiechnie do nas los
Szczerym jej uśmiechem
Odmień nasze życie
Przerzuć między nami złoty most

Ameryko, Ameryko, raju nasz...

Nie było mi łatwo przypomnieć sobie tę melodię. Nagle usłyszałam ją z dołu - głos Heni był cichy, ale czysty jak zawsze.

- Ameryko, Ameryko raju nasz...

Henia i Ania podniosły ręce, kołysząc nimi sennie jak wahadłami zegarów.

- Poczekajcie! - Gertruda wjechała do pokoju z tekturowym pudłem na kolanach, ale zaraz postawiła je na podłodze i podniosła ręce. Ja oczywiście miałam z tym największy kłopot, bo moje ocierały się o sufit, ale za to byłam tu, byłam w Ameryce, gdzie nic złego nie może się zdarzyć.

Potem zamilkłyśmy, jak wtedy, czekając, aż nasza modlitwa dotrze do Boga. Kiedy czas się wypełnił, Gertruda podniosła pudło i wyjęła szary adapter.

– Weź płytę – powiedziała do Heni, podając jej kopertę ze zdjęciem, na którym ledwo już było widać czterech chłopców z długimi grzywkami. Henia rozplątywała kabel adaptera, Ania czyściła z kurzu maleńką igłę na szarosrebrnej rączce, a ja na szafie czekałam, aż wszystko zacznie się kręcić.

– *Yesterday*...

Pierwszy podniósł się z łóżka John. Podszedł do Heni, która wyciągnęła ręce i tańczyła z nim spokojnie jak zawsze. George podszedł do Gertrudy, która jeździła na swoim wózku, robiąc niewielkie koła tak zręcznie, że pomyślałam: pewnie tańczy tu czasem, i być może George nigdy się stąd nie wyprowadził. Ania i Ringo tańczyli osobno, z zamkniętymi oczami.

My z Paulem nie rwaliśmy się do tańca. Patrzyłam z wysokości szafy, jak komponuje na blacie biurka, jak powstaje nowy przebój, z powodu którego jakaś dziewczyna wyjmie sobie oko. Od czasu do czasu Paul podnosił głowę i patrzył na mnie z czułym uśmiechem.

Nigdy nie umiałam tańczyć. Bliskość mężczyzny robiła na mnie tak wielkie wrażenie, że nie słyszałam żadnej muzyki, tylko bicie serca, szum w uszach, nie czułam nic oprócz lęku albo magnetycznej chęci wtulenia się w tamto ciało. No właśnie: chęć wtulenia się.

Moja matka... moja mama... Nigdy nie mogłam się do niej przytulić. Nie dlatego, że nie chciałam, tylko dlatego, że miała w sobie jakiś rodzaj napięcia – jakby przepływał przez nią strumyczek prądu. Jej dłoń drżała niedostrzegalnie. Nigdy nie odczułam wymiany ciepła, przenikania dobrej, spokojnej energii. Moja mama drżała tym mocniej, im dłużej mnie tuliła. Najtrudniejszy egzamin z przytulania czekał ją co miesiąc, kiedy zwijałam się z bólu, który miał przygotować mnie do tortur rodzenia. Drapałam ścianę przy łóżku, mokra od potu, zielona na twarzy szukałam ukojenia w dotyku kogoś bliskiego. I wtedy właśnie zdarzało się to, co było między nami nigdy niedopowiedzianym dramatem. Kiedy siadała na krześle i wyciągała do mnie szczupłą dłoń, kiedy ściskała mi rękę długimi, nerwowymi palcami, kiedy nie dostawałam od tej dłoni nic oprócz strumyczka prądu – w spazmie bólu odtrącałam tę dłoń tak, jak się wyrzuca ogryzek.

KILKA SŁÓW O TYM, CO MYŚLI CZŁOWIEK PRZY OKNIE

Lusi in de skaj...

Kaleka. Takie słowo przeleciało mu nagle przez głowę. Kaleka. Ciekawe jak to jest po angielsku. Nie była to myśl, tylko coś w rodzaju rybki, przepływającej przez mózg. Kiedy tylko siadał przy stoliku kawiarni, mnóstwo takich rybek przepływało mu przez głowę, niosąc różne zalążki myśli i znikając w ciemnościach. Znał je zresztą bardzo dobrze i od dawna już nie próbował ich chwytać. Pogodził się z tym, że jego głowa pełna jest pływających zarodków, jak czasem próbował to nazwać. Kiedyś, kiedy jeszcze toczył walki ze stanem rzeczy, nazywał swoje myśli pourywanymi nitkami. Dokładnie tak je widział - pocięte na równe kawałeczki, szare nitki w ciągłym ruchu. Przypominał sobie, że jego gitara leży pod parapetem, a jedna struna zwisa z niej jak flak.

✦

Patrzyłam na tańczące dziewczyny, chciałam zejść na dół, ale szafa stała się czymś w rodzaju wielkiego, dzikiego zwierzęcia - kręciłam się na jej nieprzewidywalnym grzbiecie, czując, że w każdej chwili może podrzucić mnie w górę.

– Podajcie mi jakieś krzesło.

Henia wyciągnęła rękę. Tak ubezpieczona, zeskoczyłam na podłogę w ramiona Paula. Tańczyliśmy dwa na jeden. Dwa kroki w prawo, jeden w lewo, dwa w prawo... Tylko wtedy nie gubię rytmu.

– Dosyć. Naprawdę musimy się zbierać. - Gertruda wyłączyła adapter tak nagle, że wszystkie zamarłyśmy zaskoczone.

– Jak to zbierać? Wychodzimy gdzieś?

– Tak. Wychodzimy. To znaczy wy wychodzicie, a ja wyjeżdżam. – Spojrzała na moją jedwabną bluzkę. – Zapomniałam ci powiedzieć, żebyś się cieplej ubrała.

– Właśnie. – Annę chyba trochę ucieszyła myśl, że zmarznę, takie przynajmniej miałam wrażenie. – Za elegancka jesteś jak na tę wycieczkę. Może daj jej coś do ubrania.

– A co ja jej dam? Niczego nie mam, w czym by nie utonęła. Chyba że... – Gertruda zrobiła obrót, zniknęła w drzwiach, a kiedy stanęłyśmy w progu dużego pokoju, nachylała się nad jednym z pudeł. Taśma klejąca zaskrzeczała jak zawiasy starej szafy. Po chwili Gertruda wyciągała stamtąd coś, co wyglądało jak rozpruty, pluszowy niedźwiedź.

– O Boże... – szepnęła Henia, kiedy zielone futro upadło na podłogę i odetchnęło chmurką kurzu.

– Załóż.

Futro było przetarte, w wielu miejscach brązowawe, z brzegów zwisały strzępy podszewki. Trudno było sobie wyobrazić, że wychodzę w tym na ulicę, z drugiej strony nie mogłam powiedzieć, że go nie założę, że właśnie ja nie założę tego futra. Wrzuciłam na siebie zielony wór – pokój wypełnił odór stęchlizny.

– Ale dokąd właściwie idziemy?

– Na Działki. – Henia zapinała starannie guziki płaszcza. – Też nie wiem, o co chodzi, i nikt mi nie chce powiedzieć.

Pomysł był uroczy. Nie byłam na Działkach, odkąd pochowano tam psa.

– No, to chodźmy!

– Zaraz, zaraz. – Gertruda krążyła pośród pudeł jak po małych uliczkach.

– Szukasz łopatki? – Anna też rozglądała się po pokoju. Nie bardzo wiedziałam, czy to żart, czy...

– Tak. Przygotowałam ją przecież, a nie mam pojęcia, gdzie jest. – Gertruda robiła coraz mniejsze kółka.

– Czy... czy wy go chcecie odkopać? – Henia podbiegła do mnie, jakbym ją miała ochronić. – Nie idę z wami.

– Ale ja bardzo chcę przywieźć ze sobą chociaż jedną małą kosteczkę. – Ania uśmiechnęła się tym swoim uśmiechem, od którego robiło się ciężko na duszy. – Możesz nie patrzeć.

– Jest! – Gertruda podniosła do góry dziecinną łopatkę, chwyciła jeszcze butelkę wody mineralnej i ruszyła do drzwi. – No to teraz, dziewczynki, musicie mnie znieść po schodach, i ja bym raczej była za tym, żeby zrobiły to Ania z Henią, bo tobie, Misiu, jakoś nie dowierzam.

Dlaczego nie dowierza? Ciągnęłam się za nimi w podartym zielonym futrze, pytając sama siebie, dlaczego właściwie nie pozwoliła mi sobie pomóc.

KILKA SŁÓW O TYM, CO MYŚLI CZŁOWIEK PRZY OKNIE

Jesterdej... ol maj trabls...

„Ty jeden znasz moją tajemnicę" – powiedziała mu kiedyś i nie wiadomo dlaczego właśnie te słowa zapamiętał, chociaż od dawna nie pamiętał już niczego. Któregoś dna wszedł do Halinki o jedenastej cztery i nie zauważył, że na drzwiach było napisane „nieczynne". Wymieniano gablotę. Wszystkie stoliki i krzesła były odsunięte do ściany, poprzewracane, a dwóch mężczyzn w niebieskich ubraniach podnosiło starą gablotę jak trumnę. Na środku stała nowa gablota, nowa trumna, oszklona, śmierdząca spawaną blachą. A pod ścianą siedziała ta kobieta kompletnie pijana. Na jego widok podniosła się i nalała mu kieliszek wina. Nie chciała pieniędzy. Chciała tylko wymamrotać: „Ty jeden znasz moją tajemnicę", i osunąć się pod ścianę. Sam sobie nalał drugi kieliszek i wyszedł szybko z Halinki.

✦

W miarę jak zbliżałyśmy się do Działek, Anna zwalniała kroku. Za bramą z żelaznymi okuciami, po wąskich alejkach szła coraz wolniej. Kiedy przed nami pojawiło się drzewo, Gertruda podjechała do Anny, wzięła ją za rękę, a Anna pozwoliła się prowadzić. Już wtedy, a może wcześniej, rozdzieliłyśmy się na dwie pary - ja i Henia, Anna i Gertruda.

Drzewo rosło tam gdzie zawsze (tak pomyślałam: „rośnie tam gdzie zawsze" - to idiotyczne swoją drogą), ale było oświetlone latarnią i odgradzała je siatka. Na furtce był napis „Na sprzedaż" i numer telefonu.

Z ciemności wyłonił się stary mężczyzna z pękiem kluczy.

– To my – powiedziała Gertruda.

Otworzył furtkę. Zamiast starej budki ogrodniczej był tutaj murowany dom, na dachu domku na narzędzia, czy może garażu, stał podłużny przedmiot podobny do armaty.

– Pięknie tu u pana – powiedziała Gertruda, wjeżdżając za ogrodzenie.

– Aaa... to nie moje... ja stróżuję tylko. – Unikał naszego wzroku, nie widziałam jego twarzy.

– Aha. A to... na dachu... co to jest?

– To akurat moja dłubanina. Luneta. Siedzę sam, to po nocach oglądam niebo. – Wyciągnął rękę i szybko schował pieniądze, które podała mu Anna. – I tak, jak się umawialiśmy, przyjdę za dwie godziny. Do widzenia.

Zniknął. Światło latarni obejmowało tylko pień i skrawek ziemi wokół korzeni. Stanęłyśmy w tym kręgu.

– Tutaj jest zakopany? Nie ma tabliczki.

Powoli zbliżyłam się do pnia. Kiedyś stała tu tabliczka z napisem KRUK – teraz było tylko niewielkie wybrzuszenie ziemi i dwa małe, ścięte pieńki. Kiedy Anna wzięła od Gertrudy łopatkę, Henia podniosła torebkę aż pod szyję i przytuliła ją jak dziecko.

– Kruk? Tak. Tutaj. – Ale Anna nie zatrzymała się przy wzgórku, obchodziła drzewo powoli, patrząc uważnie w ziemię, a kiedy zniknęła za pniem, usłyszałyśmy ciche: – Jest.

– Kop – powiedziała Gertruda bardzo cicho i bardzo zdecydowanie.

– Może one powinny usiąść?

– Może.

– Weźcie sobie pieńki, są przy nagrobku Kruka.

Ociągając się trochę, niechętnie odchodząc stamtąd, przydźwigałyśmy dwa pieńki. Potem, siedząc niezbyt wygodnie, patrzyłyśmy, jak Anna w zimnym kręgu światła odsuwa kamień, jak odrzuca wilgotne grudki, jak ostrożnie wkłada łopatkę w pogłębiający się, wąski dół. Wyglądało to jak niemy film. Zerkałyśmy na Gertrudę – skupioną i bardzo uroczystą. Anna pracowała ostrożnie, to używając łopatki, to rozgrzebując ziemię rękami.

– Jest.

Pierwszy raz widziałam u Anny taki wyraz strachu czy raczej bezradności. Powoli, ostrożnie wyciągała z ciemnego dołu coś niewielkiego, podłużnego, oklejonego błotem. Między grudkami gliny widać było jasnożółte nitki, a kiedy Anna potrząsnęła tym czymś, wyłoniła się twarz dziecka. We włosach i na zamkniętych oczach wciąż była jeszcze przylepiona glina. Anna potrząsnęła mocniej i wilgotne grudki osypały się ze strzępów płaszcza. Światło latarni padało na dziecinną twarz i kiedy Anna wytarła ją rękawem bluzy, na czole i na policzkach pokazały się nacięcia od noża. Pierwsze krople deszczu spadły na liście tak głośno, jakby ktoś uderzał w jeden klawisz fortepianu.

Pamiętam, że Anna powiedziała: „Muszę się napić wody", i usiadła na ziemi. Lalka zwisała głową do dołu, jedno jej oko było zamknięte, a drugie patrzyło na mnie.

Podeszłam do Anny, podałam jej butelkę i wzięłam od niej Lucy. Płaszcz pachniał przegniłą ziemią, a splątane włosy wyglądały jak kłębek starych nici. Popatrzyłam w górę, na czubek drzewa... Gdzieś tam była moja gałąź.

Strawberry fields forever.
No one I think is in my tree,
I mean it must be high or low.
That is you can't, you know, tune in but it's all right,
That is I think it's not too bad.

Na sygnał esemesa złapałam torebkę, oczywiście nie mogłam znaleźć słuchawki wśród absurdalnych drobiazgów, aż wreszcie wyłowiłam komórkę i odczytałam wiadomość.

NIE MOGĘ PRZYJŚĆ DO PANI PROGRAMU.
PRZEPRASZAM. JACEK BARECKI OD OCIEMNIAŁYCH.

Zapomniałam! Zapomniałam! Muszę natychmiast oddzwonić. Odejść, wyjść, uciec z tych Działek...

– Może ja wszystko opowiem.

Anna usiadła na ziemi, podniosła butelkę i piła dużymi łykami. Wreszcie wytarła usta rękawem umazanym ziemią.

– To są tylko histerie małych dziewczynek. Strata czasu dla mnie i dla was. Uważam, że wystarczyłoby to po prostu opowiedzieć, zadzwonić, opisać w liście, e-mailem, wszystko jedno.

Widziałam, że Gertruda jest zaskoczona. Anna mówiła dalej:

– Kiedy zadzwoniłaś, nie miałam zamiaru odpowiadać. Dziecko by się domyśliło, że nie mam czasu na lalki. Ja przynajmniej tak uważałam, i nadal tak uważam, niezależnie od tego, co twierdzi mój terapeuta.

– Terapeuta? – Przerażenie Heni było tak wielkie, jakby chodziło o chorobę.

– Psychoanalityk. Mój terapeuta ma na imię Thome i zjada mi konto jak ciepłe bułeczki.

– Ale po co ci to! – Henia była bardzo zabawna w tym swoim zgorszeniu.

– Prawda? Po co mi terapeuta? – Anna uśmiechnęła się do siebie, było w tym trochę kpiny i trochę histerii. – Ja to samo mówiłam, nad kolejną porcją makaronu, w otoczeniu papierków od słodyczy. Z kolejną butelką wina... Po co mi terapeuta! Mam chwilowe problemy, bo umarła mi matka, bo mąż odszedł do innej... Ale pracuję, mam znakomite wyniki, jestem potrzebna, jestem „kimś"... po co mi terapeuta.

– Mąż odszedł? – Tylko Henia mogła zadać to pytanie.

Żadna z nas nie chciała uwierzyć, że Christopher Fischer ugania się za kobietami. Owszem, ten nieatrakcyjny mężczyzna ma w sobie powagę i wewnętrzne skupienie – to lubią kobiety, taki mężczyzna jest wyzwaniem, odciągnąć takiego od pracy, zrobić z niego szaleńca – to jest kuszące, ale trudno sobie wyobrazić, że Fischer dałby się złapać, mając taką żonę.

Annę zaczęły nagle drażnić smugi błota na rękawie. Próbowała strzepnąć je dłonią, jakby to był tylko kurz.

– Nie wytrzymał tego wszystkiego... Rozwiedliśmy się pół roku temu. Zapaliłabym. – Ale machnęła ręką, kiedy Gertruda wyciągnęła paczkę papierosów. – Nie, nie. Jak zacznę palić, to już nie przestanę. No więc Thome ma taką metodę, że zaskakuje pytaniami. Siedzisz na skórzanym fotelu, oko w oko z obcym człowiekiem, jak w pociągu, a on każe ci bez namysłu, natychmiast powiedzieć, co jest najgorszym wspomnieniem z dzieciństwa. Bez namysłu. I ja powiedziałam: „Lucy".

– Lucy?

– Nie szaleństwo ojca, nie nasz wyjazd z Polski, nie histerie mamy, nawet nie nasze akwarium, tylko Lucy. Oczywiście mówiłam potem, że to głupota, że lalka, że pomyłka, ale on kazał mi wszystko opowiadać, każdy szczegół, i to się wtedy zaczęło pojawiać jak sceny w filmie. Korytarz, czarny telefon... Zobaczyłam, jak idę przez mieszkanie, mijam szafki z kretonowymi zasłonkami, przechodzę koło mamy, zgarbionej pod ohydną lampą, jak podchodzę do telefonu, który stoi na serwetce w kaszubskie wzory, i jak to wszystko chwieje się pode mną, nade mną, kiedy słyszę w słuchawce:

– Mam amerykańską lalkę.

Deszcz tak się rozpadał, że teraz Anna musiała krzyczeć, jakbyśmy stały przy wodospadzie.

Oparła głowę o pień... Smutna Sprzedawczyni Piasku.

– Pamiętam twarz matki i jej zdziwienie. Kiedy do mnie podeszła po tamtym telefonie, zaczęłam nagle krzyczeć. Że jestem zerem, że nasza rodzina jest beznadziejna, że po co ja żyję, skoro i tak będę nikim, jak każdy w tej rodzinie, i tak dalej.

Sięgnęła po butelkę. Wody było już tylko do połowy, więc pociągnęła jeden mały łyk.

– Mama wyszła z pokoju, potem wróciła i zapytała:

– To ty już wiesz?

Nie rozumiałam, o co jej chodzi.

– Powiedz mi... proszę cię, powiedz, czy ktoś ci powiedział, ktoś na podwórku, jakieś dzieci, tak? – Widziałam, że chce się wycofać, ale już było za późno, nie mogłam pojąć, o czym mówi, jak mam rozumieć coś, co jest oczywiste.

– Jesteśmy Polkami. Urodziłyśmy się w Polsce i twój dziadek, i pradziadek... ale nasze nazwisko jest nieprawdziwe.

Pamiętam, jak ona się z tym męczyła, jak powstrzymywała się od płaczu i jak mnie to denerwowało. Każde słowo.

Jesterdej
Oll maj trabls gon tu farułej
O aj billiw soł ju tu stej...

Nigdy nie mógł ani on, ani kumple rozszyfrować poszczególnych słów z płyty, więc tak mniej więcej tylko próbowali powtarzać i stworzyli własny angielski.

O aj biliw maj du ju tejk...

✦

Słuchałam tego, co mówi Anna, bardzo uważnie słuchałam, ale coś trzeba było zrobić z tamtym telefonem, z moim programem, przecież nie mogę tkwić tutaj i słuchać o zakopanej lalce, muszę stąd wyjść i szukać kogoś na jutro, znaleźć go choćby na ulicy...

– Mówiła, że to nie jest mój prawdziwy dziadek ani jej ojciec, ani nazwisko, a ona nie pamięta nawet twarzy swojej matki, w każdym razie nie chce pamiętać, nie może pamiętać, bo przysięgła matce, że ją zapomni. Pamięta tylko, jak ją przenosili ukrytą pod płaszczem, przywiązaną paskiem od spodni. Ten pasek mnie wtedy nawet zaciekawił. I to, że wisiała przywiązana, okryta płaszczem, i udawała czyjś brzuch, że w taki sposób uratowano jej życie, że tak przeszła przez budynek Sądów. Wtedy... wtedy pewnie postanowiłam, że będę sędzią - tak w każdym razie wyszło na terapii.

Stałyśmy pośrodku zielonego domu, którego ściany zrobione były z wody. Dom był zamknięty, a my nie miałyśmy kluczy do drzwi z deszczu. Sforsowanie tego wodospadu wydawało się niemożliwe.

KILKA SŁÓW O TYM, CO MYŚLI CZŁOWIEK PRZY OKNIE

Czajd lajk
Nołan anderstend
Dżak najf
In jor słeti hends...

...Czajd to jest dziecko. Najf nóż. Dziecko i nóż. Słeti hends - spocone ręce. Nóż w spoconych rękach dziecka. Bez sensu.

✦

- Potem... już nie powtórzę jej słów, pamiętam niektóre: „szafa", „pacierz", „włosy"... mówiła, jak bardzo nie chce, żebym kiedykolwiek musiała się bać tak jak ona, mówiła o wojnie, o ciemnościach szafy, o dwóch polskich rodzinach... A ja słuchałam tego, napięta do bólu. Naprawdę wściekła. Czułam się tak, jakby ktoś najbliższy zignorował moją tragedię i opowiadał coś dla odwrócenia uwagi. Więc w końcu krzyknęłam: „A co mnie to obchodzi!". Wtedy uderzyła mnie w twarz. Wtedy ja ją uderzyłam w twarz.

Człowiek, który otworzył nam furtkę! Pilnuje Działek i ogląda niebo przez lunetę, którą sam zrobił – to lepsze niż nic, zresztą wszystko jedno, i tak wciągnę go w rozmowę, o czym zechcę. Namówię go do programu, choćbym miała wyłożyć własną kasę.

– Teraz jestem starsza od swojej matki. Dziwne, co? Przychodzi moment, kiedy jest się starszym od matki. Thome pomógł mi spojrzeć na nią tak, jak teraz patrzyłabym na obcą młodą kobietę. Nigdy nie myślałam o niej po prostu jako o kobiecie, o kimś, kto oprócz mnie, redakcji i męża w szpitalu ma jeszcze jakieś życie.

KILKA SŁÓW O TYM, CO MYŚLI CZŁOWIEK PRZY OKNIE

Czajd lajk
Nołan anderstend
Dżak najf
In jor słeti hends...

Żeby chociaż wiedzieć, czy to jest smutne, czy śmieszne. Chociaż to.

✦

– Zanim poszłam zobaczyć lalkę, ćwiczyłam w lustrze zachwyt, radość, wszystkie możliwe dobre uczucia. A potem... – Anna nagle przerwała i zaczęła szybko i głęboko oddychać. Jak rybki w akwarium.

Kiedy akwarium Anny, ogromne jak szklana trumna, znosili na moje piętro, woda przechylała się do krawędzi. Miałam dreszcze na myśl, że któraś rybka wypadnie na schody.

Rok 1968. Matka Anny puka do wszystkich drzwi, wypytuje sąsiadów, czy ktoś mógłby wziąć ich rybki, bo przecież nie zabiorą akwarium do pociągu. Moja mama wychodzi na klatkę i mówi:

– Oczywiście. Weźmiemy.

Potem te rybki ciągle stały w wodzie przylepione pyszczkami do szkła, a myśmy nie wiedzieli, czy to jest tęsknota, czy one tak zawsze robiły, w każdym razie mogły się u nas czuć obco, chociaż mama nakazała mi miłość do tych rybek, mówiła coś o pokrzywdzonych Żydach i pewnie dlatego zawsze myślałam, że to Żydówki. Właściwie te rybki zdominowały nasze życie – ciężko było gdziekolwiek wyjechać, ale mama uważała, że rybki, właśnie te rybki, są ważniejsze od wakacji.

Ania i jej mama idą z dwiema walizkami przez podwórko. Ojciec zasłania okno. Ja tańczę *Strawberry Fields Forever.*

– No, to teraz może ty opowiadaj, Gercia. – Anna odsunęła się od drzewa.

– A co tu opowiadać. Mnie ta lalka nie obchodziła. – Gertruda spojrzała na mnie, ale wyszłam z kręgu światła, więc nie mogła zobaczyć mojej twarzy. – Mnie bardziej chodziło o kredens. Pamiętasz? Pamiętasz, jak przyszły kredensy?

– Nie pamiętam.

– Myślę, że świetnie pamiętasz. Jak kredensy przyszły.

– Tak! Pamiętam! Jak rzucili jugosłowiańskie kredensy! Ty miałaś taki. Z szufladkami. Ty go miałaś. – Henia wskazała na mnie, potakując gorliwie, kiedy Gertruda zaczęła opowiadać:

– Moja mama nocami siedziała na składaczku pod sklepem – taki składaczek od leżaka. Kiedyś powiedziała twojej mamie, że mają rzucić kredensy, i twoja mama też przyniosła składaczek, ale ja zachorowałam na anginę, moja mama musiała zostać, a tego dnia właśnie przyszły kredensy. Pamiętasz?

Henia potakiwała jak nakręcona zabawka.

– I kiedy kolejka doszła do twojej mamy, został ostatni kredens. I twoja matka wzięła go sobie. Wam.

Henia zabrała Gertrudzie butelkę i wypiła ostatni łyk.

– A *Encyklopedię*, tom „Man-Nomi", też kupiła, chociaż mogła zostawić dla Pisarza. Stała po czajniczek, a jak obok w księgarni rzucili *Encyklopedię*, tom „Man-Nomi", to twoja mama od razu się tam wkręciła.

Gertruda odczekała, aż Henia odstawi butelkę.

– Tak. Rzuciła się na *Encyklopedię*. I to wszystko zbiegło się z tym, że dostałaś Lucy... Nie dawałyśmy nic po sobie poznać, ale to w nas rosło i rosło.

Anna wstała z ziemi wyjątkowo niezgrabnie i zaczęła otrzepywać ubranie. Ściana deszczu zniknęła tak nagle, jak się pojawiła, ale z drzewa ciągle spływała woda.

– Któregoś dnia Ania zadzwoniła do mnie, płakała tak strasznie, że nie wiedziałam... Mówiła, że się zabije, że ma po rodzinie cyjanek. Ja oczywiście w to uwierzyłam, nie bardzo wiedziałam, co to jest cyjanek i dlaczego po rodzinie – byłam bezradna, coś tam starałam się tłumaczyć, w końcu powiedziałam, że musi żyć, bo trzeba się na tobie zemścić. Tak. No i w końcu... Nie ma nic głupszego niż małe dziewczynki... Wiesz, doszło do takiej... takiej histerii...

– To ja. – Anna chodziła nerwowo, zawracając co kilka kroków, jakby wokół były ściany. – To ja wymyśliłam. W piwnicy. To ja powiedziałam...

– Postanowiłyśmy ją zabić. Zabić Lucy. Tutaj, na Działkach.

– O Jezu. – Henia odwróciła głowę, światło latarni jakby pojaśniało, być może zapaliło się jakieś inne, gdzieś na drodze, w każdym razie widziałam teraz ich twarze wyraźniej.

– Przestałam sypiać. Co noc śniły mi się koszmary.

– Wiesz, to była cała misterna siatka dzieci z różnych podwórek.

– No, to trwało kilka miesięcy...

Zaczęły mówić jedna przez drugą.

– Ja to zrobiłam – powiedziała Anna. – Gertruda nie mogła.

– Nie przesadzaj. Ja zabrałam mamie scyzoryk, ja... ja trzymałam Lucy, kiedy...

– Ty tylko przemyciłaś Lucy pod płaszczem. Tylko wykradłaś scyzoryk.

Anna pierwsza zamilkła, podeszła do butelki, ale nic już tam nie było, więc tylko otarła twarz rękawem, rozcierając na czole czarne smugi.

– Na tych sesjach czułam się tak, jakby mnie zjadał do ogryzka. Obgryzał wszystko, co najlepsze, żeby mi pokazać, jaka jestem w środku. Tyle lat nie miałam pojęcia, skąd to poczucie winy, dlaczego całe życie coś nadrabiam, dlaczego się karzę i wyniszczam, a potem coś udowadniam, dźwigam ponad siły. – Anna chodziła tam i z powrotem, zawracając na brzegu światła. – A ja po prostu przekroczyłam granicę, zza której już się nie wraca. Nie ma znaczenia, że to była lalka. Wsadziłam w jej ciało scyzoryk. Gertruda nie mogła. Ja tak.

Na gumowej twarzy Lucy były trzy nacięcia – jedno na czole i dwa na policzkach. Jedno nacięcie było między piersiami, a niżej, przy brzuchu, dwa. Kiedy uciskało się palcem brzeg rany, z gumy uchodził strumyk powietrza.

– Całkiem możliwe, że przez nią... – Anna zatrzymała się, patrząc, jak zdejmuję z Lucy grudki ziemi. – Bez niej pewnie nosiłabym togę i udzielała rozwodów. Jeśli przyczyniłam się do międzynarodowych ustaw, a zagrożenia globalne mają jakiś odpór w strukturach państw, to źródłem wszystkiego jest ona. Trudno uwierzyć, ale tak jest.

Lucy leżała, patrząc w niebo prawym okiem. Kiedy otwierałam jej lewe oko, ciągnąc za gęste rzęsy, zamykało się prawe.

– Zawsze chciałam być sędzią... I nagle od tego uciekłam. I gdyby nie Thome, myślałabym, że ambicje mnie przerosły. Dopiero on uświadomił mi, że po prostu czuję się mordercą. Mordercy nie powinni być sędziami. Tak. Jestem mordercą. Z całą świadomością, z premedytacją, z zimną krwią, a nawet z przyjemnością zabiłam wasze dziecko.

– No tak... – Henia wyjęła z torebki chustkę i wytarła zaczerwieniony nos.

KILKA SŁÓW O TYM, CO MYŚLI CZŁOWIEK PRZY OKNIE

Czajd lajk
Nołan anderstend
Dżak najf
In jor słeti hends...

Czasem piosenka kołuje wokół człowieka jak ćma.

✦

Matka terkocze wózkiem po betonie, skinieniem głowy pozdrawia przechodniów i hamuje przy piaskownicy, gdzie czeka na nią Sprzedawczyni

Piasku. Podwórko ma zapach śmietnika, jak zawsze przed deszczem.

– Poproszę mięso i szczypiorek.

Sprzedawczyni schyla się pod ladę i małą łopatką wsypuje mięso do kubełka.

– Dziękuję.

– Proszę.

Matka wychodzi ze sklepu, terkocz e wózkiem po betonie, skinieniem głowy wita przechodniów i nagle przystaje. Pod drzwiami jej domu leży mężczyzna. Leży i jęczy. To Umęczony Wędrowiec, który ciągle wypływa na morze. Nie ma siły wstać, Matka więc podnosi go z ziemi. Wchodzą razem na klatkę i znikają w ciemnościach, taszcząc wózek po piwnicznych schodach.

W tym samym czasie Ojciec, pracownik nieokreślonego urzędu, wracając do domu, zahacza o sklep.

– Poproszę kulkę lodów.

Sprzedawczyni wsypuje lody na dłoń Ojca.

– Nie widziała pani mojej żony?

– Widziałam, jak wchodziła do domu z Umęczonym Wędrowcem.

Ojciec uchyla kapelusza, zostawiając sprzedawczynię w głębokim zamyśleniu. Przez ściany sklepu, przez mury miasta nie powinna była widzieć Wędrowca. A jednak widziała.

– Żono! Wyjdź z domu! – woła Ojciec, zmęczony po pracy w bliżej nieokreślonym urzędzie.

Matka wychodzi na podwórko, tuląc w ramionach dziecko owinięte różowym kocykiem. Ojciec bierze córeczkę na ręce i karmi ją lodami.

– Zrobię ci obiad. Będą kotlety i szczypiorek.

– Świetnie. – Ojciec kołysze córeczkę, patrzy, jak dziecko zasypia. Na dłoni Ojca zostało jeszcze trochę lodów.

Kiedy Matka krząta się po kuchni, Smutna Sprzedawczyni stoi za ladą piaskownicy. Zapach wilgotnego piasku, zimny wiatr, chude drzewo, dwa gołębie o przerażonych oczach chodzą po kwadracie z desek.

W tym samym czasie Umęczony Wędrowiec decyduje się jeszcze raz zrobić to, co przed chwilą robił z Żoną i Matką. Zupełnie nagi, wielokrotnie, rytmicznie, podskakuje jak piłka.

Skacze coraz wyżej, od czasu do czasu biegnie w głąb korytarza, wraca, potem znów skacze. Nic nie słyszy, niczego nie widzi i niczego nie czuje oprócz radości wyzwolenia. Cichy szum wiertarki wdarł się tu znowu, nie ma żadnego znaczenia, jest częścią miasta, częścią dzielnicy, częścią wszystkich, którzy tu mieszkają. Umęczony Wędrowiec nie podejrzewa, że ten szum to tym razem...

W ciemnym tunelu bramy, od wejścia na ulicę, zbierają się fale Oceanu. Biała piana wznosi się i opada po grzbietach wody, która jak ogromny walec wtacza się na podwórko. Mąż podchodzi do okna. Patrzy w kierunku bramy. Cofa się kilka kroków.

– Żono!

Żona podchodzi do okna i zasłania ręką usta.

Mąż rzuca się do drzwi.

– Zakluk, zakluk! – woła, ale jest już za późno. Ogromna fala bierze oddech i bryzgając pianą, opada na podwórko. Za nią kolejne. Całe mieszkanie chwieje się pod naporem fal, drzwi i okna trzeszczą, mąż i żona stoją przytuleni, chroniąc dziecko pod różowym kocykiem. Pękają szyby, drzwi wyskakują z zawiasów, po całym mieszkaniu hula wiatr.

Umęczony Wędrowiec wciąż jeszcze skacze. Tutaj, w piwnicy, słychać tylko ten szum.

Jedna z fal uderza w ściany mieszkania. Ryczy, wypuszcza kłęby piany, napiera coraz silniej. Kiedy ściany pękają, woda wdziera się do środka i porywa dwoje ludzi, którzy trzymają śpiące dziecko.

Sprzedawczyni stoi za ladą, zerka w stronę mieszkania, ale dramat tamtych dwojga jest niewidoczny zza ścian sklepu.

Fala ogromnieje, połyka mniejsze fale, otwiera paszczę i zębami z białej piany wyrywa dziecko z rąk rodziców.

– Nie! Nie!

Fala ostatnim skokiem rozdziela tych dwoje, a potem, unosząc dziewczynkę, ucieka w stronę bramy. Zrozpaczeni rodzice płyną po tańczącym podwórku, a woda wdziera się w ich otwarte usta. Jedna z mniejszych fal rzuca Matkę w kierunku sklepu.

– Ratuj się! Powódź! – krzyczy Matka w stronę witryny.

Sprzedawczyni nigdy nie była tak szczęśliwa. Teraz powódź dotarła też do niej, więc może walczyć z falami i tonąć jak wszyscy.

– Rekin! – mimo fal, mimo ryczących fal, słychać z daleka głos Ojca. – Rekin płetwonogi! – krzyczy, jedną ręką bije w Ocean, drugą trzyma uniesioną ze względu na resztki lodów.

Z czeluści bramy, niesiony przez fale, wypływa płetwonogi Rekin, kieruje wielkie cielsko wprost na dziecko, fala przybliża się usłużnie, unosząc na grzbiecie córeczkę...

– Zabij mnie, a nie ją! Nie moje dziecko!

Rekiny płetwonogie nie słyszą. Nie mają uszu. Wie to i zrozpaczona Matka chłostana przez fale, i Sprzedawczyni Piasku, którą wciąga wir Oceanu.

W tym czasie Umęczony Wędrowiec idzie w górę piwnicznymi schodami, otwiera drzwi, wychodzi wprost na ścianę wody. Woła:

– Tam! Tam płyńcie! Tam jest wyspa!

Wyspa! Jak mogli nie zauważyć? Kilka metrów stąd jest przecież kawałek trawnika – idealna, jedyna taka na świecie Bezludna Wyspa. Ojciec patrzy wprost w oczy Rekina i pięścią wymierza cios. Rekin ślepnie i ginie w odmętach, zostają po nim tylko wielkie kręgi. Ocean jest spokojniejszy, fale znikają, te, które widać jeszcze, kołyszą Matkę i Sprzedawczynię. Wtedy właśnie jedna z fal przynosi Ojcu śpiącą Lucy.

Wyspa różowieje od zachodzącego słońca, Smutna Sprzedawczyni Piasku wychodzi na ląd ostatnia. Zimna woda chłodzi jej stopy, czerwone wieczorne słońce głaszcze ją po ramionach, a ona stoi i patrzy, jak Matka czesze włosy córki, jak Ojciec karmi ją resztką lodów, jak Żona krząta się po Wyspie, wkładając do piekarnika mięso i szczypiorek, jak Ojciec zawija córkę w różowy kocyk i kładzie ją na kolanach. Smutna Sprzedawczyni stoi na brzegu.

– O Boże. – Henia patrzy bezmyślnie na otwartą torebkę. – Powinnam pójść.

– Dokąd? Już nie masz pociągu. Zarezerwowałam ci pokój w hotelu. – Anna spojrzała w górę, na czubek drzewa. Kilka kropel spadło na trawę.

– Nie... nie, ja już muszę jechać. Znajdę coś z przesiadkami.

– Poczekaj. Coś chyba zostało niewyjaśnione. – Nagle zdałam sobie sprawę, że przecież Henia była w tym wszystkim najistotniejsza. – Jeszcze nie rozumiem, dlaczego zrobiłyście to Heni.

Gertruda podjechała bliżej pnia. Deszcz nie mógł się zdecydować – krople to uderzały, to milkły, zmieniały się w wilgotną mgłę.

– To przeze mnie. To, to może już ja... – powiedziała Gertruda. – Anna zwierzyła mi się ze wszystkiego, ale nie miałam pojęcia, co powinnam czuć w związku z tym, że została Żydówką. Tylko od tego czasu wszystko nagle stało się ważne, spojrzenia, szepty, nawet miotła twojego ojca i to jej szur, szur, szur. Nie twierdzę... nie jestem pewna... Nie miałam pojęcia, co z tym zrobić, więc... no, zrobiłam ten błąd i... powiedziałam wam wszystko.

Schodzimy schodek po schodku, Gertruda prowadzi piwnicznym korytarzem, a kiedy stajemy przy wilgotnej ścianie, zaprzysięga nas, że dochowamy tajemnicy do końca życia.

Henia stała z opuszczonymi rękami, ściskając pasek torebki. Słuchała tego, co mówi Gertruda, z twarzą pozbawioną wyrazu. Jej białe włosy wyglądały jak wilgotna wełna.

Właściwie odkąd weszłyśmy za ogrodzenie, marzyłam tylko o jednym. Nie chciałam, nie mogłam już patrzeć na siwą Henię z torebką zwisającą u kolan. Nie miałam już ochoty słuchać Gertrudy...

– No i wtedy się zaczęło. Twój ojciec przy matce Anny mruczał jakieś wyzwiska, ktoś narysował im na drzwiach gwiazdę Dawida... Nie powinnam była tego wam mówić. Przecież to oczywiste, nawet dla dziecka, że wygadacie rodzicom i... Nie mam do ciebie pretensji, Heniu. Teraz nie, ale wtedy... Z zemsty za Annę, za to, że twój ojciec szurał miotłą, kiedy jej mama szła podwórkiem... Zwierzyłam się w domu, że widziałam cię wieczorem, jak przemykałaś z Lucy po podwórku... Wiedziałam, że mama powie o tym w szkole.

Spojrzałam w górę na wilgotne liście. I jak zza ściany słyszałam słowa Anny:

– Jest coś jeszcze, o czym musimy powiedzieć. Tego wieczoru... Tego wieczoru, kiedy zakopałyśmy Lucy, ktoś wjechał tu samochodem. Uciekłyśmy na drzewo i wtedy z auta wysiadło trzech mężczyzn.

Posadziłam Lucy na trawie. Zdjęłam futro. Zdjęłam buty.

– ...Przede wszystkim zobaczyłyśmy Paulojohna. Potem Wojackiego.

Podciągnęłam sukienkę, jednym ruchem chwyciłam się pierwszej gałęzi, owinęłam nogi dookoła niej i zawisłam plecami w dół. Dźwignęłam się i chwyciłam kolejną gałąź. Robiłam to szybciej i zwinniej niż kiedyś. Cały system dźwigni, strategię ruchów i sztukę balansowania miałam wyćwiczone w miejscach, z których wychodzi się tylko dzięki desperacji.

– Właźcie! – krzyknęłam, ale żadna nie drgnęła. Oczywiście dopiero tam, w górze, zdałam sobie sprawę, że przecież jest z nami Gertruda, i to, co robię, jest okrucieństwem, ale właśnie wtedy usłyszałam jej głos:

– Właźcie.

Ale nie zrobiły tego. Patrzyły na rozhuśtane drzewo, na śliską od deszczu korę, którą ściskałam palcami dłoni i stóp. Dziesiątki mokrych liści próbowały tamować mi drogę, wciskały się w usta, zaklejały oczy, gałęzie broniły się, kłując mnie w nogi, ale widziałam już moją gałąź i nic mnie nie mogło zatrzymać. Usiadłam na niej z taką łatwością, o jakiej nie mogłam kiedyś marzyć. Wydała mi się nawet większa i wygodniejsza niż wtedy. Z tej wysokości nie słyszałam rozmów, ale widać było, że coś się tam między dziewczynami dzieje. Gertruda gestykulowała, a Anna patrzyła w górę. Nagle... Oczywiście należało się tego spodziewać. Anna wytarła ręce o spodnie i podeszła do pnia. Cofnęła się jak skoczek, odbiła od ziemi i zawisła na pierwszym szczeblu. Jej ciężkie ciało nie było bezpieczne na gałęzi, która skrzypiała i chyliła się w dół, ale Anna przesunęła się ku nasadzie, zahaczając stopą o gałąź, wspięła się na nią i chwyciła się następnej. Przedzierała się przez liście, jakby ją ktoś gonił, sapała przy tym, wydawała okrzyki, kiedy gałęzie biły ją po twarzy i zagradzały drogę. Minęła moją gałąź, nawet na mnie nie patrząc, i dopiero kiedy opadła na swoje miejsce pół metra wyżej, przestałam się bujać na niebezpiecznie rozhuśtanym drzewie. Anna dyszała jak zwycięzca po biegu.

Właściwie dopiero teraz dotarło do mnie to, co usłyszałam na dole.

– Wojacki? Widziałyście tu Wojackiego? To niemożliwe.

– No właśnie. – Powoli uspokajała oddech. – Też nie mogłyśmy uwierzyć, że to on, ale nawet w ciemnościach każdy rozpozna taki głos.

– A ten trzeci?

– Trzeciego nie znałyśmy. To, co mówili, było niejasne. Zrozumiałyśmy tylko, że Paulojohn ma w czymś pomóc, że chodzi o jakieś porwanie.

Spojrzałam na ziemię. Gertruda mówiła coś do Heni, ale ta nie zwracała na nią uwagi: patrzyła w górę, na nasze gałęzie, jakby wydarzył się tu cud.

– Tak naprawdę chodziło o ciebie. – Widziałam kątem oka podeszwę sportowego buta Ani. Bujał się tuż nad moim ramieniem. – Chodziło o ciebie. Kidnaping. Za wszelką cenę usiłowali namierzyć twojego brata i dlatego Paulojohn miał cię porwać. On się wahał. Wojacki starał się go wybronić, ten główny się nie zgadzał. Byłyśmy za bardzo wystraszone, żeby połączyć to w całość, zresztą szybko odjechali.

Podniosłam głowę. W tych gałęziach, podzielona na fragmenty przez liście, Anna wyglądała jak niedźwiedzica.

– Jaki to był samochód?

– Warszawa. Niebieska warszawa.

– A pamiętacie, jak wyglądał ten trzeci? Ten mężczyzna? Coś szczególnego?

– Nie. Było bardzo ciemno.

Spojrzałam w dół. Maleńka Henia położyła torebkę na ziemi, podeszła do pnia i wspięła się na palce.

– Myśmy bardzo się bały. Każdego dnia coraz bardziej.

Henia wyciągnęła ręce do gałęzi i dotknęła jej czubkami palców. Gertruda podjechała bliżej.

– Na widok tego Paulojohna umierałyśmy ze strachu... Czułyśmy się winne, przerażone, kiedy on ciągle, wszędzie za tobą łaził.

Przecież nigdy na mnie nie spojrzał. Nawet wtedy, kiedy powiedział: „Zjeżdżaj, mała!"... Codziennie wysiadywałam w Halince, żeby chociaż z daleka patrzeć na twarz podobną do twarzy Paula McCartneya. Szłam za nim ulicami, stałam na przystankach, czekałam przy bramie...

Henia pochyliła się ku ziemi, powoli zdjęła buty i płaszcz. Gertruda podała jej rękę i Henia ostrożnie weszła na poręcz wózka, a potem obiema rękami chwyciła gałąź. Gertruda odjechała i Henia zawisła nad ziemią.

Czy to możliwe, że kiedy siedziałam w kącie kawiarni, oddzielona zasłoną z dymu, znacząca tyle, co mucha, wpatrzona w jego czarną kurtkę... że to ja byłam w centrum uwagi? A tamte dziewczyny, ich piękni chłopcy z nogami wyciągniętymi jak po biegu... czy oni też... Czy to możliwe, że nie byli piękni, tylko pięknych udawali, że to wszystko...

A tamto kino... Kiedy siedział za mną w pustej, ciemnej sali, kiedy pachniało skórzaną kurtką...

Maleńka Henia bujała się na gałęzi.

Henia bujała się coraz mocniej. Jej bluzka rozerwała się nagle, ukazując maleńki, biały stanik.

– Nawet nie wiesz, jakie byłyśmy przerażone, kiedy on stawał na tych samych przystankach, na których ty stałaś, szedł tą samą ulicą...

Henia spadła na ziemię. Wstawała powoli, opierając się na rękach, potem włożyła buty i podniosła torebkę. Nagle odwróciła się i zaczęła biec w kierunku bramy. Gertruda spojrzała na nas.

Postawiłam stopy na niższej gałęzi. Schodziłam bez wysiłku aż do miejsca, gdzie gałąź mocniejsza i dłuższa od innych sterczała jak wędka olbrzyma. Ciało, wprawione w ruch wahadłowy, jest zdolne do takich akrobacji, jakby było pozbawione kości. Jakby było z gumy. Rozhuśtałam swoje gumowe ciało i jak wielkie jabłko spadłam na ziemię.

– Zrób coś z nią, bo świruje – mruknęła Gertruda, kierując wózek w kierunku furtki, gdzie Henia mocowała się z klamką. Szarpnęła tak mocno, że klamka została jej w ręku, otwarta furtka skrzypnęła, ale Henia, czerwona po czubki włosów, nie zwracała na to uwagi. Odwróciła się i rzuciła torebkę o ziemię.

– Skończcie z tym cyrkiem! Chcecie mnie zabić, to zabijcie! – podbiegła do mnie, była purpurowa na twarzy. – A co ja miałam zrobić! Wszyscy mnie męczyli! Ojciec, matka, cała ta Szycha...! Ja się bałam! Rozumiesz! Tego twojego brata, gównianego bohatera! Mnie ojciec lał! Rozumiesz? Lał cię ktoś? Wiesz, jak to jest? Zsikałaś się kiedyś ze strachu?

– Ale skok! – Anna podeszła do nas, kulejąc lekko i wyciągając do mnie rękę. – Gratuluję!

Henia podniosła torebkę i założyła ją sobie na ramię.

– No więc ja wszystko powiedziałam. Wszystkim. Wszystkim powiedziałam, że Cygan to jest twój brat.

Nie dała się przytulić. Odskoczyła ode mnie.

Anna nie rozumiała, co się stało, jej głupawy, zalotny uśmiech zamarł dopiero wtedy, kiedy Henia powiedziała:

– Kopsnij papierosa.

– Ty? Palisz?

Gertruda zapaliła papierosa, odpaliła drugiego i podała Heni.

– Mojego tatę stale piłowali o Cygana. Już miał alergię na to słowo, i nawet... mamę męczył, czy coś wie o Cyganie. A Szycha... Ona mi powiedziała, że Cygan to wróg naszego kraju i jeśli cokolwiek usłyszę, mam jej powiedzieć...

Wyrzucała z siebie kłęby dymu i zaciągała się znowu.

– Heniu, ale... przecież nic się nie stało. Ani mnie, ani mojej rodzinie...

– No właśnie. – Anna spojrzała mi prosto w oczy. To nie była ta sama osoba, która tam w pokoju trzymała mnie w ramionach. – Nic się nie stało twojej rodzinie. Nigdy.

Nie rozumiałam i dotąd nie chcę zrozumieć, co ona miała na myśli. Nic nie stało się nigdy mojej rodzinie, choć wszyscy poszukiwali Cygana, choć wszyscy wiedzieli, że jest synem mojego ojca. Ojciec nie stracił pracy, nie był przesłuchiwany, przynajmniej nic o tym nie wiem. Nic szczególnego się nie działo, był przeciętnym pracownikiem radia, lubianym spikerem, szanowanym przez kolegów... jedyne, co się rzucało w oczy, to że tak nagle schudł, i to rzeczywiście było dziwne. Jadł jak zawsze, nie chorował, a schudł przez kilka miesięcy tak bardzo, że chodził w pożyczonych ubraniach.

Anna otrzepywała spodnie w skupieniu, jakby to pomagało je osuszyć.

– Ty nam powiedz lepiej całą prawdę o swoim bracie – powiedziała nagle – bo z kolei moja matka twierdziła, że on raczej był powiązany ze służbami bezpieczeństwa, ja przepraszam, że tak otwarcie mówię, ale to była opinia mojej matki, a nie moja... Kiedy go poznamy? Ożenił się?

– Czy on żyje w ogóle?

Czy żyjesz? Mogłam im przecież powiedzieć, że zaginąłeś w niejasnych okolicznościach. To byłoby dość, żeby nigdy nie zaznały spokoju. I chciałam tak zrobić, naprawdę należało im się ode mnie, tylko... trochę się przestraszyłam, że nie będę już miała brata.

– Pewnie, że żyje. Często do mnie przyjeżdża, ma teraz dużo czasu, podróżuje dla przyjemności raczej, wyjeżdżamy razem...

– Ożenił się?

– Nie. Z tego, co wiem, ma mnóstwo kobiet, ale nie znam żadnej.

Jeszcze nie wiem, jak wygląda twoja kochanka.

Żadna z nas nie słyszała kroków mężczyzny, który stanął obok furtki. Nic nie powiedział, tylko otworzył drzwi, wziął klamkę z ręki Heni i zamontował ją jednym ruchem. Twarz miał zasłoniętą daszkiem płóciennej czapki.

KILKA SŁÓW O TYM, CO MYŚLI CZŁOWIEK PRZY OKNIE

Ajm fiksing e houl łer de rein gets in
End stops maj majnd from łondering
Łer it łil goł...

Houl to jest dziura, a rein – deszcz. Pewnie deszcz się leje przez dziurę, ale co dalej? Spojrzał w niebo i pomyślał, że niedługo może być rein. Fajna piosenka by była, że jest rein, wszędzie rein, rein w głowie, rein w oczach, rein na rękach. Rein jesterdej. Został mu ostatni papieros.

✦

– Chwileczkę, mam do pana sprawę. – Mężczyzna przeszedł koło mnie jak cień. – Jestem dziennikarką, prowadzę znany program, ciekawi mnie ta pana luneta... – Zrobiłam jeszcze kilka kroków, ale nie zwracał na to uwagi. – Chciałabym zaprosić pana do tego programu, to jest... chodzi o telewizję...

Odwrócił głowę. Daszek czapki rzucał cień na twarz, a oczy płynęły w różne strony, jak dwie ryby. Jedno oko patrzyło prosto na mnie, a drugie w bok, na pień drzewa. Z tyłu dochodziła mnie rozmowa dziewcząt.

– A co z Lucy? Może... może, Heniu, ty ją weź tam do siebie, masz dzieci, i...

– Chyba żartujesz. Chodźmy.

– Chodźmy.

Chciałam podnieść z mokrej trawy futro, ale było ciężkie jak dywan.

Wracałyśmy w milczeniu, każda trochę osobno. Czułam, że Anna stara się do mnie zbliżyć, że czeka na moment, aż zostaniemy w tyle.

– No i co... Napiszesz tę książkę?

– Nie wiem. Raczej tak. Chyba napiszę.

– Zmienisz zakończenie?

– Raczej nie.

KILKA SŁÓW O TYM, CO MYŚLI CZŁOWIEK PRZY OKNIE

Lusi in de skaj...

Dzisiaj prawdopodobnie jest środa. Wyczuwał instynktownie dni tygodnia i rzeczywiście rzadko się mylił, dlatego nie odrywał oczu od okna, odgradzając się w ten sposób od kawiarni. Jeżeli naprawdę dziś jest środa, to już niedługo na przeciwległe krzesło opadnie dziewczyna, zwana „wnuczką". Znał ją jakieś pół roku, może rok, siadła tu któregoś dnia i powiedziała coś w rodzaju: „Witam cię, dziadku", o ile zrozumiał, miało to być ironiczne, szokujące, miało nim wstrząsnąć, ale oczywiście nie wstrząsnęło, nawet na moment nie odwrócił głowy od okna.

Lusi in de skaj. Co tam jest dalej? Dajmends. Pewnie diamenty.

✦

Jak się rozstałyśmy? Nie pamiętam. Pamiętam Henię śpiącą na kanapie i Annę, która starała się ją dobudzić. Potem ocknęłam się we własnym łóżku i ze zgrozą zobaczyłam pod domem swój samochód. Nie pamiętałam ani sekundy z powrotu, ale pamiętam sen. Ojciec stał przy drzwiach i trzymał w ręku długą wędkę.

– Dokąd idziesz? – zapytałam.

– Na łyżwy – powiedział.

– Na łyżwy? Z wędką?

– Wszędzie można coś złowić.

Potem pośrodku pustego sklepu mięsnego, za ladą, na tle żelaznych haków, siedziała kobieta w białym fartuchu. Pachniało świeżą krwią.

– Przepraszam, czy są parówki?

– Nie. Są rękawiczki. Ale tylko prawe.

– Poproszę pół kilo.

Obudził mnie zgrzyt tramwaju – tak wyraźny, że chciałam podejść do okna, żeby sprawdzić, czy przez noc nie położono tu szyn, ale odgłos oddalał się szybko, a w jego miejsce napływały obrazy wczorajszego dnia. Zerwałam się z łóżka. Jeśli nie odepchnę się od tej całej historii tak, jak spycha się łódź z mielizny, to zginę. Narzuciłam szlafrok i podciągnęłam go na pasku, żeby nie snuł się po podłodze. Zawsze kupuję duże, męskie szlafroki, kiedy zakładam je na ramiona, czuję się tak, jakby mnie tulił wielki mężczyzna. I zawsze mówię szlafrokowi „dzień dobry".

Co tak patrzysz? Zwierzam się z rzeczy, których nie powiedziałabym nikomu, tylko bratu, i nawet jeśli jest tak, jak myślisz, nawet jeśli jestem szurnięta, to naprawdę dobrze się maskuję. Tylko ty wiesz, że mam nie po kolei w głowie, ciebie nie ma, więc moje szaleństwo nie wyjdzie poza te ściany.

Poszłam do kuchni. Robiąc kawę, wszystkie myśli skupiałam na kolejnym dniu w murach zburzonego miasta...

Dlaczego Henia poszła na grób moich rodziców?

Zginęli w wypadku samochodowym. Ojciec nie zauważył samochodu, który wyjeżdżał z małej uliczki, tamten wywinął się jakoś, a oni wpadli na mur Filtrów. Potem już nigdy nie szłam wzdłuż tego muru.

Zamknęłam laptop, jakby to była walizka starych szmat. Zgubiłam tamte dni jak martwą skórę, mogły być równie dobrze wymysłem, należeć do innego życia, mogły być czymś, co ma się dopiero wydarzyć. Moja twarz znad biurka patrzyła wielkimi oczami, jak zdejmuję szlafrok, jak idę do łazienki i zostawiam jej historię bez zakończenia.

Zawsze stoisz tuż koło wanny i patrzysz, jak myję zęby. Mógłbyś jak inni bracia stanąć obok i wpatrzony w swoje odbicie robić dokładnie to samo, co ja. Ty opierasz się o wannę, nie widzę cię w kadrze lustra, więc żeby z tobą rozmawiać, muszę odwracać głowę i zawsze wtedy pryskam pastą na podłogę.

Wiedziałam jedno: muszę odnaleźć Dziewczynę Cygana. Oboje to wiedzieliśmy.

KILKA SŁÓW O TYM, CO MYŚLI CZŁOWIEK PRZY OKNIE

Foloł her dałn tu e bridż baj e fałntyn...

Zresztą wizyta „wnuczki" została w jakiś sposób zapowiedziana przez kobietę zza lady. Kilka dni czy miesięcy wcześniej podeszła do stolika i coś tam mamrotała o jakiejś dziewczynce, która go szukała, która o niego pytała, ale nie słyszał dokładnie, zajęty kontemplowaniem szyby...

✦

Kilka dni, a może kilka tygodni później, „wnuczka" zjawiła się znowu. Mówiła coś o pieniądzach, zdaje się. Cała reszta była tak skomplikowana, że nawet nie starał się zrozumieć – mówiła do niego „dziadku", bo miała matkę, która była jego córką, a była jego córką dlatego, że na łożu śmierci wyznała to jakaś „babcia". Wszystko było tak samo niedostępne, jak słowa w językach obcych. Im dłużej patrzył w szybę, tym wyraźniej odbijała się tam sylwetka grubawej dziewczyny.

Potem, kiedy zaczęła przychodzić regularnie, odczuwał pewną przyjemność w tym, że się jej przygląda, chociaż ona nie ma o tym pojęcia. Wyglądało na to, że przychodziła tu mimo wszystko, traktując swoje monologi jak rodzaj ukojenia czy terapii. Opowiadała coś o matce. O „mamie", jak mówiła, ale wtedy „wciągał się do środka". Ta mama była chora, czy coś takiego, nawet zdaje się coraz bardziej chora. Najważniejsze, że dziewczyna po jakimś czasie zrezygnowała z pytań. Bo na początku zadawała pytania, czekała na odpowiedź, co było w jakimś sensie udręką. Raz tylko odważył się na nią spojrzeć, kiedy powiedziała, że chce pracować jako policjantka. Wtedy odwrócił głowę od okna i spojrzał na nią. Zamilkła oczywiście i patrzyli na siebie przez kilka sekund albo minut, potem on znowu się odwrócił, a ona mówiła dalej. Że jej marzeniem jest być w antyterrorystycznej brygadzie, tyle że jej nie wezmą, bo jest za gruba i ma problemy z osobowością. I że to jest powiązane, bo jak ma dół, to je chipsy z boczkiem, zwłaszcza przy serialach, ale to tak już jest, że jak serial, to ona musi iść po te chipsy. To wszystko było trudne do pojęcia, ale najdziwniejsze, że przy tym tak płakała, jakby się spowiadała z grzechu.

Nic nie pamiętam. Ani kiedy wyszłam z łazienki, ani jak znalazłam się w samochodzie, ani kiedy zaparkowałam przed bramą domu i nacisnęłam domofon.

– Proszę pani, byłam tutaj jakieś pół godziny temu w sprawie mieszkania... Czy mogłabym chwilę z panią porozmawiać? Jestem nasza.

– Tak...? To proszę, niech pani wejdzie.

Wdowa po Pisarzu stała w uchylonych drzwiach, a jej pomięty szlafrok zwisał tuż nad podłogą. Szepnęłam jej w samo ucho:

– Mam wiadomość dla Dziewczyny Cygana.

Spojrzała się w głąb pokoju.

– Dobrze, ja przekażę. Proszę za mną.

Zauważyłeś, że poruszała się inaczej niż wtedy? Szła bardzo szybko, trochę tak, jakby korytarz był ulicą, a jej stary szlafrok płaszczem. Kiedy weszła do pokoju, wskazując mi puste krzesło, wyglądała na bardzo przejętą. Chciałam ją spytać, dlaczego krzyczy, dlaczego w nocy krzyczy „Ja go nie zabiłam"... Przysunęła się do mnie tak blisko, że czułam jej delikatny zapach. Tak pachną dzieci obudzone z głębokiego snu.

– Proszę usiąść. Powiem pani, że córka kwiaciarki miała wczoraj bardzo nieciekawą przygodę. Bardzo. Jechałam tramwajem. Ścisk okropny.

I nagle jakaś kobieta zaczęła krzyczeć, że ją okradli. Że miała przy sobie sto złotych, a teraz nie ma, i żąda, żeby motorniczy zatrzymał tramwaj i zawołał milicję. Dwaj mundurowi i jeden w cywilu wsiedli do tramwaju, a ona powiedziała, że był to banknot, na którym napisano coś długopisem, więc go rozpozna. Milicja zaczęła przeszukiwać wszystkich i wiesz, kto się okazał tym złodziejem? Córka kwiaciarki. Właśnie ona. I ją, dziecko, w kajdankach wyprowadzili z tramwaju.

– A ten w cywilu... A ten w cywilu... czy miał w sobie coś szczególnego?

– Co szczególnego? – Popatrzyła niepewnie. – Nic szczególnego. Poza tym, że miał zeza.

– Aaa... gdzie ona mieszka? Ta Dziewczyna Cygana?

– Jak to, gdzie? W więzieniu. Tam, gdzie wszyscy złodzieje.

– No tak, ale... jej dom gdzie jest...? Zna pani jej adres? Bo muszę tam coś zanieść.

Wstała.

– Nie znam żadnych adresów. – Owinęła się szlafrokiem. – Nie znam żadnych adresów – powtórzyła. – Chcesz czajniczek z gwizdkiem?

– Chcę.

Nie było szans na dalszą rozmowę. Staruszka poczłapała w stronę kuchni, a ja siedziałam, wdychając zapach waleriany i myślałam o tamtym banknocie u Gertrudy. Kiedy nagle zadzwonił telefon, nie miałam odwagi odebrać, zresztą już było za późno. Męski głos w sekretarce był sztucznie radosny.

– Mówi Kadej. Witam panią! Więc tak. Pani Ewa jest wspa-nia-ła! Po prostu wspa-nia-ła! Co to za ulga mieć do czynienia z kimś tak nieskażonym, z taką babą prawdziwą, co tu gadać, przecież ci aktorzy to papugi, ja czasem, proszę mi wierzyć, mam dość tego narcyzmu, tej powierzchowności, przecież oni o niczym nie mają pojęcia, a Ewa wspaniała, i ja pani dziękuję, że mogłem spędzić z nią trochę czasu i posłuchać o tym jej życiu... to jakbym się w źródle wykąpał. Tak. Tylko, niestety, niefotogeniczna. Oko ciężkie, zmęczone, sylwetka zgarbiona. Ja to bym przełknął jeszcze, ale nam się koprodukcja szykuje, a ci kapitaliści nie dadzą pieniędzy na kogoś, kto, co tu mówić, zmęczony jest, i to widać. Natomiast mam naprawdę dobrą wiadomość – tę rolę zgodziła się zagrać Monika Kolska! Podrasujemy ją trochę, wezmę zdjęcie pani Ewy, i już tam dziewczyny ją na nią zrobią. No to tyle na razie, nie mogę się doczekać spotkania z panią, pogadamy sobie o tym całym bagienku, jak będzie czas. Pozdrawiam. Mówił Kadej.

Trzy krótkie dźwięki – koniec nagrania.

– Ja sama, ja sama! – zawołała staruszka, kiedy chciałam jej pomóc donieść do stołu wielkie pudło. Zsunęła sznurek i zajrzała do środka.

– Pięć. Jeszcze zostało pięć. Resztę już rozdałam. – Wyciągnęła z pudła mały czerwony czajniczek. – Z gwizdkiem. Było 25 sztuk, ale wszystkie rozdałam.

– A skąd pani to ma?

– Jak to skąd? Ze sklepu. Akurat rzucili czajniczki, więc mąż wziął cały karton. – Błysk w oku nagle ją odmłodził. – A co! Kupiliśmy wszystko, żeby ta z pierwszego piętra nie dostała. Jak ma i kredens, i *Encyklopedię*, to już przesada, żeby miała czajniczek.

Ktoś przekręcił klucz w zamku.

– Jesteś? – Usłyszała niespokojny kobiecy głos, potem szybkie kroki w korytarzu.

Ewa nie zobaczyła mnie od razu. Jej twarz, pozbawiona oprawy światła, była zniszczona dużo bardziej niż na fotografiach, gdzie nie widać siwych odrostów, które wyglądały jak zimowa opaska, ani pozbawionej formy sylwetki i spowolnionych ruchów.

– Marianna Partyka. Przepraszam, trochę zawracam głowę pani cioci, ale byłam tu w sprawie mieszkania i...

– Nie musi się pani przedstawiać. Wiem. Ciocia mi mówiła. Idziemy spać. – Nie patrząc na mnie, wzięła staruszkę za rękę. Ruszyła, zerkając na otwarte pudło. – Już pani dostała czajniczek z gwizdkiem? – ale nie czekała na odpowiedź, pilnując każdego ruchu staruszki, która uklękła, wpatrzona w niewielki krzyż na ścianie.

– Aniele Boży, Stróżu mój...

A potem, moszcząc się na łóżku jak małe zwierzątko, szepnęła:

- Ale nie mówcie na milicji, że się modlę.

Ewa przykryła ją kołdrą, a widząc, że zbieram się do wyjścia, powiedziała:

- Odprowadzę panią.

- Przepraszam za mojego kolegę... - szepnęłam już w korytarzu. - Zabrał pani czas i nic z tego nie wyszło...

- A! Ja właściwie chciałam zapytać... poradzić się pani...

Długo wahała się nad tym pytaniem. Nie była to dla mnie zręczna sytuacja. Jeśli Kadej ją odrzucił, jeśli dogadał się z Moniką, sprawa jest przegrana i nic tu nie pomogę, chociaż ja na jej miejscu żądałabym honorarium za wykorzystanie historii mojego życia. Wysokiego honorarium. Może o to właśnie chce zapytać? A ja jestem w dwuznacznej sytuacji... Z jednej strony przyjaciel, z drugiej ta poczciwa kobieta, której należy się jakaś odmiana losu.

- Nie chce pani suczki? Taka suczka chodzi po moim podwórku, z chorą skórą, ale ja mam już trzy koty, nie dam rady jeszcze z psem, chociaż jak nikt nie weźmie, to co poradzę. Spora jest, ale ładna, jakby ją tak odkąpać i podtuczyć...

Tutaj, w korytarzu, słabe światło żarówki zatarło zmęczenie twarzy, wydobyło piękno wewnętrznej ciszy... nieświadomą kobiecość... Tyle zależy od światła...

– Nie. Nie mogę mieć zwierząt, ja ciągle wyjeżdżam. A co do Kadeja... – Ze względu na śpiącą staruszkę starałam się mówić jak najciszej, ale Ewa tylko machnęła ręką.

– Aaa, ten film... To tylko kłopot. Muszę sprowadzić do siebie ciocię, mam jedną umierającą, jeszcze ta sprzedaż mieszkania, przeprowadzka... Proszę nie szeptać. Ciocia już śpi i nic nie słyszy. Zbudzi się dopiero w nocy.

– Czy... ciągle jeszcze krzyczy? Słyszałam o tym...

– Tak. Krzyczy.

– A wie pani dlaczego?... Dlaczego krzyczy: „Ja go nie zabiłam"?

– Wiem.

To wszystko. Stałam w otwartych drzwiach, upomniana, subtelnie upokorzona. W jej oczach była teraz siła, jaką widziałam u tamtych ludzi na pustyni, może nawet u kobiet, które wiązały mnie w namiocie. Tacy ludzie zwykle zabierają do grobu rodzinne tajemnice. Na ekranach kin zawsze będziemy oglądać ich marne kopie.

– A może... może dałaby się pani namówić na rozmowę... mam program telewizyjny, czy pani zna „Rozmowy z Tobą"?

Zaróżowiła się. W ciemności korytarza czułam, jak zmienia się temperatura jej ciała.

– Nie bardzo. Rzadko oglądam telewizję.

– Rozmawiam z ciekawymi ludźmi, których jakoś dotknęła nasza historia – pani życie, śmierć męża... tajemnica pani ciotki, ten krzyk... Poza tym naprawdę przyda się pani ten program - oglądalność rekordowa, a ja uważam, że trzeba panią pokazać.

- Nie wiem... Ja niczego takiego nie przeżyłam... żeby...

- O tym, czy to jest coś, czy nic, ja decyduję. Jeśli kogoś zapraszam, to jest to ktoś, kogo warto pokazać, a w pani przypadku to nawet obowiązek. I nie tylko mój. Pani nieświadomie dokonuje wyborów, które rozwijają panią w głąb, a nie na zewnątrz, mało kto dzisiaj ma taką siłę ducha, więc pokazanie kogoś takiego to właśnie misja telewizji. Jeśli ludzie, jak pani, będą się chować przed innymi, to takie wartości zanikną nam na zawsze. Niech pani o tym pomyśli.

- O krzyku cioci nic nie powiem.

Zaskoczyła mnie. Byłam przekonana, że utkwię w drzwiach na długo, zanim ją zdołam przekonać do kamery. A tu proszę, tylko: „O krzyku cioci nic nie powiem".

- Jasne. Program jest dziś o ósmej. Umowa stoi?

- Dzisiaj? Jak to dzisiaj?

- Zawsze zapraszam gości w ostatniej chwili - nie mają czasu na tremę. To co?

- Ale...

Podałam jej wizytówkę z adresem studia, napisałam godzinę programu.

– Niech pani przyjdzie pół godziny wcześniej, charakteryzacja, podpięcie mikrofonu i tak dalej. Proszę o tym za dużo nie myśleć. Po prostu czekam na panią, już zapowiem to w okolicy Informacji i będzie super.

– No dobrze. Przyjdę ze względu na męża, bo właśnie za kilka dni jest rocznica... – Odwróciła głowę w stronę mieszkania.

Ja też usłyszałam cichutkie szuranie kapci. Staruszka w długiej, jasnej koszuli, w półmroku korytarza, wyglądała jak biała plamka na kliszy.

– Niech pani idzie piętro wyżej. Pod dziesiątkę. On wie o Cyganie więcej...

Czy miałeś to samo wrażenie? Że ona śpi dalej w swoim łóżku, a tutaj stoi postać odklejona od drobniutkiego, drzemiącego ciała? Zamykałam drzwi jak najciszej, żeby jej nie obudzić.

– Proszę, poznaj mnie! – szeptałam, biegnąc na trzecie piętro.

KILKA SŁÓW O TYM, CO MYŚLI CZŁOWIEK PRZY OKNIE

Ach luk et ol de lołnli pipl
Ach luk et ol de lołnli pipl
Liws in e drim, łeits et de windoł, łering
de fejs...

Kiedy „wnuczka" pierwszy raz pojawiła się w kawiarni, kiedy usiadła na krześle, zrobił to, co zawsze, kiedy jego zmęczony organizm dostaje zbyt wiele bodźców: zastygł jak żółw, ogłuchł, oślepł i przestał odczuwać cokolwiek. W pewien sposób „wciągał się do środka".

Żółw. Ciekawe, jak to jest po angielsku. Oparł czoło o szybę i w głębi podwórka zobaczył żółwia, który idzie przez truskawki, wtedy nagle w środku głowy wykluła mu się znana melodia, ale nie żadna piosenka Beatlesów - wręcz przeciwnie, można powiedzieć:

Foto foto foto fotografie,
A ja foto foto foto nie potrafię.

Melodia bez muzyki. Jakby ktoś jednostajnie kopał w mur. A gdyby chciał śpiewać o żółwiu w truskawkach, wtedy, kiedy jeszcze miał gitarę, to by go chyba wsadzili w kaftan. Koń pociągowy. „Koń pociągowy" - nagle pomyślał i chyba chodziło mu o niego samego, że jest głupi i ciężki jak koń pociągowy, że jego myśli są takie, jak u konia pociągowego. A może chodziło o cały naród. Że jest podobny do konia pociągowego. Aż oderwał czoło od szyby, bo chyba nigdy nie powiedział i nie pomyślał słowa „naród".

✦

Przed uchylonymi drzwiami siedział czarny kot. Kiedy podeszłam bliżej, wsunął się do środka, otwierając widok na jasny, lśniący korytarz. Dzwoniłam kilkakrotnie, ale nikt się nie odzywał. Nawet wtedy, kiedy mężczyzna owinięty fartuchem w czerwone kwiaty wziął kota na ręce.

Mimo włosów pokrytych tanią czarną farbą wyglądał staro. W każdym razie nic nie zostało już z tamtego chłopca, który śpiewał w oknie przeboje Wojackiego. Dopiero kiedy mnie zobaczył, chwycił się za serce.

- Witam - powiedział, podnosząc grube, czarne brwi. - Już myślałem, że dzisiaj dziennikarze strajkują.

Nieznacznie kręcąc biodrami, poszedł w głąb mieszkania, skąd słychać było arię śpiewaną przez piękny sopran, gdzie pachniał gulasz i orientalne przyprawy.

- Już Piotruś idzie, tylko zmniejszy gaz. - Zawsze mówił o sobie w trzeciej osobie.

„Od Piotrusia" - mówił, podając przez drzwi torebkę czekoladowych cukierków. Wojacki miał szczególne przywileje we wszystkich sklepach.

Jak zawsze wszystko tu było wypolerowane, żadnych zbędnych drobiazgów, aromat cynamonu, na biurku i na stole świeże kwiaty.

Piotruś wszedł do pokoju już bez fartucha, z miską pełną orzechów włoskich.

- Właściwie nie powinienem pani wpuszczać. Oni nie lubią moich gości, mówię o tej rodzince, której usługuję. Piotruś został na starość gosposią własnych złodziei. No, bo bardzo tanio, proszę pani, dziwnie tanio kupili to mieszkanie, i ja się wcale nie zdziwię, jeśli kiedyś zobaczę ich w telewizji z kurtkami na głowach, jak ich w dół sprowadzają chłopaki w kominiarkach. I tę szympansicę, tę agentkę, co tu węszy.

Dopiero teraz zauważyłam, że w tym pokoju nie ma ani jednego zdjęcia Wojackiego. Kiedyś każda ze ścian była galerią zdjęć jego uśmiechniętej twarzy, zawsze wisiał też plakat Festiwalu Młodych, gdzie w spisie jurorów na pierwszym miejscu było jego nazwisko. Tych plakatów wisiało w tym mieszkaniu kilka, jeden nawet, o ile pamiętam, w toalecie, a teraz ani jednego.

– To znaczy, że pan tu już nie mieszka?

Nie odpowiedział. Jakbym nie istniała.

– Za każdym razem mam nadzieję, że będzie można spokojnie porozmawiać. – Kiedy usiadł w fotelu, zauważyłam, że ma na paznokciu czerwoną plamkę lakieru. – Ale zawsze potem okazuje się, że wy tylko odrabiacie lekcje, na termin i dla pieniędzy...

Nawet kot, który skoczył teraz na jego kolana, poruszał się delikatnie, jakby nie chciał naruszyć niczego w tej idealnej przestrzeni. Piotruś gładził go delikatnie.

– I czego pani chce? Spowiedzi? Innego spojrzenia na jego haniebne życie? Będzie się pani litować, wykazywać zrozumienie czy potępiać?

Nie mogłam oderwać wzroku od szerokich, grubych i pewnie ciepłych dłoni, którymi delikatnie dotykał sierści kota.

– Proszę się nie obawiać, ja...

Przerwał, nawet na mnie nie patrząc.

– Co jeszcze może się wydarzyć? Tajemnica została odkryta, człowiek potępiony, sprawiedliwości stało się zadość, prawda? Pani nagrywa czy spisuje?

Natychmiast wyjęłam magnetofon, ale on, nie czekając, mówił dalej.

– Ja się zgadzam na te wizyty dziennikarzy, zgadzam się tylko dlatego, że – zostaw Piotrusia – powiedział nagle i zrzucił kota z kolan. – Cały ten szum to mimo wszystko jakieś życie. Przynajmniej można się wypieklić. Że co chwila ktoś dzwoni, że nie ma życia prywatnego, ani chwili spokoju, więc wpuszczam nawet tych najgorszych, nawet gadzinówki wpuszczam, żebym potem mógł sobie ponarzekać. Wdowieństwo jest, proszę pani, nie tylko smutne, ale strasznie nudne.

Pokuśtykał do biurka, łyknął jakąś pastylkę, potem usiadł na brzegu fotela i pochylił się nad dyktafonem.

– Nagrywa się? No, to świetnie. Teraz pięć minut dla Piotrusia.

Wziął do ręki garść włoskich orzeszków i połykał jeden za drugim.

– Wojciech to nie był jakiś Pavarotti. Nie. Co trzeci człowiek na świecie ma taki głos jak on. Ale nie każdy ma to coś. A wie pani, co to było? Niepowtarzalny urok banału. Co pani myśli, że ja o tym nie wiem? On też wiedział, za co go kochają. Był taką gwiazdą, że - dotknął ręką czoła - nie mógł wyjść z mieszkania po papierosy, tak go oblegali. Przy kiosku. Skrzynka pocztowa tak zapchana, że trzeba ją było kilka razy wymieniać, bo się psuła. Baby przysyłały swoje zdjęcia, wiersze. On to kochał bardziej niż życie, potwór ogoniasty.

Podszedł do wieży, wyłączył płytę i włożył inną. Tenor, raczej operetkowy niż estradowy, śpiewał:

Wszystkie muszki, karaluszki,
Wszystkie pszczółki i jaskółki
Mówią, że
Kocham cię...

- Nie mógł żyć bez publiczności, a publiczność bez niego chyba też nie bardzo, bo pchali się na te koncerty jak do wodopoju. I nie było to takie żałosne życie estradowe, jakie może pani sobie wyobraża. Nie. Ja nawet może i lubię się czasem ubawić jak prosię w ulewę, ale on nigdy. Żadnych popijaw, autokarów, rano kawka, gazetki, spacer z Bobusiem, rozśpiewanie, spotkania z kompozytorami, obiad, drzemka, koncert. No i był jurorem Festiwalu Młodych - to też kochał. Kochał swoje koszule szyte na koszt państwa, kochał swój samochód, na który dostał przydział. No, co poradzisz, dziecko - kochał antyki, stare zegarki, obrazy - wydawał na to wszystko, co miał, ale nigdy nie ubożał. Cud gospodarczy Wojackiego. To się na pewno nagrywa?

– Tak... tak.

– I pewnego dnia... a ja to dokładnie pamiętam... przyszedł tamten człowiek.

– Jaki człowiek?

– Zezowaty. Ja wszędzie go poznam. Tak. Nie umiem zapomnieć tej mordy. A chciałbym. No i dowiedziałem się, dziecko, że mogą nas wyeksmitować, ponieważ obniżamy morale kamienicy. Że u nas odbywają się orgie. Że biegamy nago po klatce. Że tu mieszkają dzieci i ich rodzice mają dość naszych libacji. Tak. Libacje, orgie, dzikie tańce na stole. A o wszystkim oczywiście mogą zaświadczyć sąsiedzi, dozorca już sporządził raport i oni podpisali. No i to będzie, rzecz jasna, koniec kariery.

– Wszyscy sąsiedzi? – spytałam i bardzo, bardzo bałam się odpowiedzi.

Piotruś wziął garść orzeszków i włożył do ust.

– I parę dni potem, w kuchni, kiedy robiłem herbatę, Wojciech oświadczył, że się zapisuje do partii. Piotruś się, kochanie, poparzył jak dziki osioł. Chciałem mu dać termometr, bo przecież tylko jakaś cholera czy ospa mogła coś takiego Wojciechowi podszepnąć. A Wojciech mówi, że od dawna czuł, że powinien się przydać krajowi, że partia go potrzebuje i on jest z tego dumny. – I to już mi wykrzyczał w ucho do samego środka głowy. I jak wyszedł, to tak trzasnął drzwiami, że tu się rodzynki posypały Piotrusiowi na łeb. A po paru dniach pojawił się w domu chudy jak koza i szary jak ciotka wróbla. I leżał na kanapie, embrionek taki, i nic go nie ruszyło, nawet nowe nagranie *Wszystkich muszek*. Bo co? Bo go nie przyjęli. A czemu go nie przyjęli? Bo mają dla niego inne zadanie. Bo w partii tak się nie przyda, jak w tym innym zadaniu. A cóż to za zadanie?

Patrzyłam z niepokojem, jak pakuje do ust coraz większe porcje orzechów.

– No i teraz mamy aferę na cały kraj, że Wojciech W. był szpiegiem.

Znowu sięgnął po garść orzeszków i połknął jak lekarstwa.

– Co on tam mógł nadonosić i na kogo? Że się ktoś porzygał po koncercie? Że jedna pani ma siuchtę z jednym panem? To, czego dowiedział się od manicurzystki spod piątki? Jeżeli kogoś miał na sumieniu, to mnie. Mnie na pewno. Ile pan Piotruś miał nocy z głowy, bo pan Wojciech się wiercił, krzyczał przez sen, chodził po mieszkaniu... Bardzo ważny się sobie wydawał pan Wojciech. Bardzo ważny.

– Jak to ważny...

W miseczce były już tylko dwie garście orzechów.

– Jeśli ktoś mówi, że kogoś do więzienia posadził, to już musi być nie byle kto! Szpieg nad szpiegi! Superubek! Rozmiar XXL! Jeśli ktoś uważa, że doprowadził do tortur jakiejś dziewuszki, to już chyba był jakimś Napoleonem tych kazamatów! A wystarczyło się podzielić z Piotrusiem. Przecież ja tego Cygana znalazłbym na drugim końcu półkuli, proszę pani.

– Cygana? Jakiego Cygana?

Chodził po pokoju jak w transie.

– Szpiegowskie zadanie – namierzyć Cygana. Poważnie brzmi, prawda? No i namierzał, jak umiał, głównie u naszej manicurzystki, o ile wiem, i takie tam znalazł materiały szpiegowskie, że w rezultacie zamknęli jakąś dziewuszkę... ale ona raczej coś tam nakradła, biedactwo, jakaś stówka się do niej przyplątała... Cokolwiek to było, bajka skończona. Pan Wojciech umarł jako napiętnowany szpieg z bardzo ciężką teczką donosiciela. Można powiedzieć, że umarł w drugim rozkwicie swojej sławy. Jako Mata Hari.

– A co się stało z tą...

Piotruś zwinął się cały i upadł na podłogę. Kiedy podbiegłam, odwrócił się nagle, a jego twarz, czerwona z wysiłku, zastygła jak maska. Usiłował kaszlnąć, ale nie mógł, uderzyłam go kilkakrotnie w plecy, chciałam zrobić to, co kiedyś małemu dziecku w Afryce, które zachłysnęło się pierwszym w życiu cukierkiem, po prostu przewróciłam je na ziemię, podniosłam za nogi i potrząsałam tak długo, aż cukierek wypadł mu z gardła, ale Piotruś był za ciężki. Kilka mocnych uderzeń między łopatki i wyskoczyła mokra grudka orzechów. Wyczerpani siedliśmy na podłodze.

– Dziękuję – wyszeptał. – Uratowała mi pani życie.

Podałam mu wodę. Kiedy pił małymi łyczkami, zastanawiałam się, czy mu powiedzieć, czy się przypomnieć, czy raczej pytać dalej o to, co już zaczęło nabierać kolorów. Teraz powiedziałby mi wszystko.

– Jak się pan czuje?

Nie patrzył na mnie, nie zareagował, kiedy zapytałam:

– Przepraszam pana... a ta dziewuszka... może to nie tak było? Z tym więzieniem? Wie pan, gdzie mieszka?

– Ryczeć mi się chce – powiedział raczej do siebie. – Pozabijałbym ich wszystkich.

Kiedy wstałam, nawet nie podniósł głowy.

– Pójdę już. Dziękuję za rozmowę. Proszę mnie nie odprowadzać.

Nie ruszył się. Dopiero kiedy doszłam do drzwi, krzyknął:

– Proszę pani! Proszę pani! Zapomniała pani torebki.

– Nie chcę być nachalna, ale my, dziennikarze, mamy swoje sposoby. Może ja porozmawiam z tą dziewuszką? Wie pan, gdzie ona mieszka?

Kiedy już stałam na klatce schodowej, uśmiechał się ciepło, jakbym o nic nie spytała.

– Nie za lekko się pani ubrała? Ja nawet pani nie powiedziałem, że zawsze oglądam i podziwiam, że jak pani została porwana, to ja się modliłem za panią.

– Dziękuję.

– I niech się pani za mnie pomodli czasem i za moją głuchotę. Bo sam jestem. Stary Piotruś, głuchy jak pień. Wdowa po szpiegu.

Drzwi zamykały się powoli jak zwodzony most. Zostało już tylko jedno mieszkanie, gdzie mogłam się czegoś dowiedzieć.

KILKA SŁÓW O TYM, CO MYŚLI CZŁOWIEK PRZY OKNIE

Oł aj get baj łit e litl help from maj frends...

Kiedy „wnuczka" usiadła na krześle, zapachniało ostrym, jesiennym powietrzem. Nie mógł znaleźć określenia dla koloru jej kurtki, której rękaw zajmował pół stolika. Dziewczynka nigdy jej nie zdejmowała. Podobało mu się, że nosi zawsze tę samą kurtkę. Już na samą myśl uśmiechał się do szyby. Zresztą i słowo „kurtka" wywoływało głupie wstrząsy śmiechu, które musiał ukrywać, odwracając głowę jeszcze bardziej.

– Słuchasz, co do ciebie mówię? Masz iść zająć się matką! – Dziewczynka napierała na blat i teraz mocniej czuło się zapach wiatru. Na stoliku pojawiła się jakaś kartka. Kątem oka zobaczył słowo „protestujemy" i odwrócił głowę do szyby. Dziewczynka mówiła szybko, natarczywie, głośniej niż kiedykolwiek, osaczała go słowami, pochylała się ku niemu tak bardzo, że cofnął rękę w obawie, że chce go dotknąć.

✦

Właściwie nigdy nie byłam w tym mieszkaniu, tylko stojąc na palcach, naciskałam dzwonek z nazwiskiem, i z daleka widziałam matkę z dłonią zanurzoną w miseczce. Patrzyła na mnie jak na obcą, jakby pokój pachnący zmywaczem do paznokci był wyspą tylko dla dorosłych kobiet.

– Kto tam? – Głos kobiety był zduszony, jakby przykleiła się do drzwi.

Czułam, że stoi przy wizjerze.

– Czy pani jest manicurzystką?

Drzwi otwarły się na szerokość grubego łańcucha. Stała w nich starsza, krępa kobieta z cerą różową jak u nastolatki. Zawsze była taka. Zawsze jej twarz była dużo od niej młodsza.

– Ja już, dziecko, manikiuru nie robię... za stara jestem. A skąd ty wiesz, że jestem manicurzystką?

Poczułam nagły głód. Z głębi mieszkania dochodził zapach kapusty.

– Pan z góry mi powiedział.

– Ten pedałek? A tak, on bardzo często się strzygł u męża, a u mnie paznokcie robił. Ale ja już nie robię, bo mi się, dzieciaku, ręce trzęsą na starość i... a pokaż ty rączki.

Wsunęłam dłoń w uchylone drzwi.

– No, faktycznie, że... ciemna wieś białostocka. Skórki do wycięcia, każdy paznokieć inny... aż się prosi, no, aż się prosi. – Zwolniła łańcuch. – Ja ci to zrobię w drodze wyjątku, bo patrzeć na to nie mogę.

Weszłam do niewielkiego pokoju z tapetą w niebieskie wzory. Manicurzystka postawiła na stole miskę, wyjęła z szuflady przybory, założyła okulary, usiadła, westchnęła: „Oj, Boże, Bożycku, nie ma to jak przy cycku" – i zaczęła studiować moją rękę.

– Ale żadne tam nowomody, kochana, bo ja tego nie umiem. W migdał robię pazurki, a jak chcesz, jak to teraz, jakieś łopaty, to nie tutaj. – Wzięła pilnik i łapiąc mnie za mały palec, zaczęła pracować nad paznokciem. – U mnie kobieta jest kobietą. A paznokieć paznokciem. Robię czerwone migdałki albo różowe, i ja decyduję jakie.

Zacisnęłam zęby do bólu – każdy ruch pilnika wzbudzał dreszcze i mdłości.

– Pani mąż jest fryzjerem?

Pilnik zatrzymał się nagle, a kobieta zerknęła znad okularów.

– Mój mąż nie żyje, dziecko. Już niemal trzydzieści lat, jak go zabili w kolejce po karpia. – Dopiero kiedy pilnik poszedł w ruch, zaczęła mówić dalej. – A fryzjerem był, i to jakim! Tłum oszalałych bab się kłębił, że nie było gdzie się podziać, dziecko. Myśmy mieli taki zakładzik tu naprzeciwko.

– Wiem.

– A skąd? Od pedałka? Ja nic tam do niego nie mam. Ani mój mąż też nic nie miał. Ja go nawet lubię, bo sobie zawsze poplotkowaliśmy jak z babą, a nawet lepiej. I pazurki ma kochane takie. A co mnie obchodzi, co kto pod kołdrą robi? A do Żydków też nic nie mam, jak nie opowiadają, co to nie oni. Dla mnie, proszę pani, każdy jest człowiek, nawet Żyd. Ja nie jestem stuknięta, jak nasz dozorca, co się ciągle wypytywał, czy ktoś jest, czy nie jest. Nie wierć mi się paluszkiem, dziecko, bo cię zatnę. A mój mąż był fryzjerem, i to jakim! I peruki robił, i tapiry najwyższe w całym mieście – jak postawił kok jednej czy drugiej, to tak, że za Chiny nie szło rozczesać. Lakieru napylił, grzebieniem nakłębił, naplątał, że jak któraś nawet pięć włosków na krzyż miała, to wyszła z szopą. Aż nie rozczeszesz samej, za Boga. Jak bonie dydy... On był nie tylko fryzjerem, ale i człowiekiem, kochana. Ja ci coś pokażę, ty mocz – podsunęła małą, blaszaną miseczkę – mocz paluszki, a ja ci pokażę. – Wyciągnęła wielką szufladę z komody, na której stał pozłacany zegar, i wyjęła małe czerwone pudełko.

– Pośmiertny, ale zawsze – powiedziała, pokazując srebrny order.

– Odrodzenia Polski... Ja odebrałam za niego. Prezydent mi dawał, kochana, i rękę mi uścisnął. Za te brody. W stanie wojennym, jak się ukrywał jeden z drugim przed tymi zomowcami, to czasem trzeba było tam kogoś podcharakteryzować – tak czy nie? No to mój pierwszy był do tego. Jak przychodziła żona Pisarza spod siódemki, to się od razu zamykali w kuchni i tylko szeptem albo nawet na karteczkach sobie pisali, jak niemowy, i te karteczki wymieniali, bo to wiadomo, gdzie komu i kto jakiś podsłuch założył? No i tam sobie knuli na tę ojczyznę, a mój to potem był jak nowo narodzony, jak on miał apetyt, to ja od razu wiedziałam, że coś tam podziemnego robi. Jakąś brodę. Albo same wąsy. On był strasznie patriotyczny. Strasznie. Jak na 13 grudnia w rocznicę stanu wojennego był taki apel, żeby kto idzie ulicą, ten stawał na baczność o dwunastej w południe na znak protestu, to on wyszedł przed zakład i stał, aż mu kiedyś nawet jedna klientka wyszła zieloniutka jak trawa, bo za długo z farbą siedziała. Ale jemu to nic. Jak rozkaz – to rozkaz. On miał zresztą niejeden medal, bo to powstaniec warszawski... tak... tak... a skończył marnie – pilnik chodził coraz szybciej. Miałam wrażenie, że ona rozmawia z moim paznokciem. – W kolejce po karpia. Tak zginął. W kolejce po karpia. Pod koniec życia to on już, dziecko, o kulach był, kręgosłup mu siadł, i jako inwalida miał oczywiście pierwszeństwo w kolejkach, ale nie takie proste to było, kochana, bo nie on jeden przychodził o kulach pod sklep, a rzadko który był prawdziwy inwalida, więc jak przyszły święta i rzucili karpie, to ludzie jak zaczęli napierać na sklep, to nikt nie patrzył, inwalida, nie inwalida, tylko do przodu, na szybę, na drzwi, na ladę, po piętach, po palcach, a mój krzyczał, że ma prawo, że inwalida, i nagle jakiś drugi się wyrwał, też o kulach, i zaczął wrzeszczeć, że Longin nie jest prawdziwy inwalida, że udaje, że prawdziwym on jest, że wojennym, wyrwał mu, proszę pani, te kule, a ludzie nic, tylko napierali na sklep, a on się tylko podobno za gardło złapał i w tym tłumie padł jak długi, i koniec. Zawał. Tak skończył.

Piłowała ostatni paznokieć. Zapytałam po prostu:

– Słyszała pani o Cyganie?

– Cygan... no pewnie, że słyszałam. Kto by nie słyszał? On był w stanie wojennym szefem całego w dzielnicy podziemia – tak mój Longin mówił, ja go nie znałam – ale zresztą różnie mówili, niektórzy, że on był od Stalina, że jako dziecko Stalin go tu przesiedlił. Ale ten Cygan to chyba nie żyje... Tyle wiem tylko, że niezły był buhaj i co jedna, to chodziła przez niego jak błędna, no i zrobił dziecko Basi, córce kwiaciarki, co ją zamordowali, bo mi to powiedziała taka Żydówka, co tu mieszkała, bo jej się zwierzyła kwiaciarka, że takie nieszczęście, że nawet nie zna tego Cygana, i czy on Cygan naprawdę, czy nie, to nie wiadomo, tylko córka zakochana jak w diable, i nic tylko Cygan i Cygan... Biedna. Przepiękna dziewczyna. Przepiękna. Paznokcie, pamiętam, miała jak brylanty.

Aż przyjemnie było robić, ale co z tego, kiedy się zabujała jak perliczka. Tak sobie, pamiętam, z tym Wojackim nawet gadaliśmy o niej, bo on też coś o tego Cygana pytał, no to mu tam w tajemnicy powiedzieliśmy o nieszczęściu, jak sąsiad sąsiadowi, to on się też tak przejął i nawet się z Longinem pokłócili o to, czy miłość jest ślepa, czy nie.

– A co się z nią stało?

– A potem, kochana, to ona za tego Cygana poszła siedzieć. A tak! Bo ktoś doniósł, szuja jakaś, że ona go zna. I ja nawet nie chcę myśleć, jak oni ją musieli mordować o tego Cygana. Tam się nie patyczkowali, w ciąży, nie w ciąży, dość, że nic nie wiem o niej, czy wyszła, czy nie, bo i matkę zatłukli. Tak. Nożem. Kto to zrobił, nie wiadomo do teraz chyba, ale albo te chuligany tutaj, co się kręciły, taka złota młodzież z bożej łaski, takie maminsynki, co tu po kawiarniach wysiadywały i tylko papieroski za pieniążki od tatusia, albo ją ubeki zatłukły.

– Ona żyje?

– Nie mam pojęcia. Nigdy potem nie widziałam tej naszej Basi. A jak chcesz się dowiedzieć czegoś więcej, to zapytaj tego pijaczka, co tam siedzi w kawiarni, bo on z nią chodził, ona go rzuciła dla Cygana właśnie. – Wstała i otrzepała spódnicę. – Nic mi nie płacisz, dziecko, jak nie chcesz lakieru. Ja sama jestem, to po co mi pieniądze? Na zdrowie niech ci będzie.

Kiedy zamykała drzwi, słyszałam jeszcze, jak wzdycha:

– Oj, Boże, Bożycku, nie ma to jak przy cycku...

Zbieganie po schodach sprzyja załatwianiu spraw. Nareszcie ktoś podniósł słuchawkę – centrala telewizji jest jak centrum dowodzenia kosmosem.

– Cześć, mówi Marianna. Dajcie mi studio na dwie minuty – muszę zmienić zapowiedź, bo ten koleś od ociemniałych spadł mi z programu i mam kogoś innego. Będę za dziesięć minut. Staję przed kamerą, nagrywam i spadam. Za godzinę? OK. Jestem.

Jeszcze cała godzina. Wchodząc do kawiarni, odsunęłam się w drzwiach i jak kiedyś zrobiłam ci miejsce. Zawsze wchodziłeś pierwszy, jakbyś chciał sprawdzić, czy tu będę bezpieczna.

Wszystkiego mogłam się spodziewać, tylko nie tego, że pod oknem, w chmurze dymu obok czarnej kurtki, zobaczę jakąś dziewczynkę. Miała jakieś jedenaście, dwanaście lat. Była chyba już wyczerpana tym milczeniem i mężczyzną, którego widzi tylko z profilu. Siadłam przy swoim stoliku i zamówiłam najtańsze wino. Kobieta zza baru sprawiała wrażenie obrażonej, ale nie wiem, czy na mnie, czy na tamtą parę.

– Ty byś prędzej z cegły wódkę zrobił niż w ogóle jakiegoś dzieciaka! – krzyknęła dziewczynka nagle, ale oprócz mnie nikt nawet nie poruszył głową. – Ja nie wierzę w to, co babcia powiedziała! Nie jest tak, że jak ktoś umiera, to mówi prawdę! Zawsze mi opowiadała o moim dziadku Cyganie, on jest super i ja go kocham, i niech to dotrze do ciebie, że jestem wnuczką antyterrorysty, z którym cię babcia totalnie zdradzała, i on mi przysyła kupę forsy i pocztówki, i wszystko, o co proszę! I ja go znajdę, chociaż on się ukrywa, zobaczysz, dziadu. – Siadła na brzegu krzesła. – Ja go jeszcze znajdę i przyprowadzę ci do tej pieprzonej kawiarni, i pokażę, kto jest moim dziadkiem! – Zerwała się z krzesła i pobiegła na środek, między puste stoliki. – Tak! Ja jestem wnuczką antyterrorysty, jak chcesz wiedzieć. I on jest po prostu wszędzie wzywany, gdzie jest jakiś zamach, i on jest na maksa uczuciowy, i tęskni do nas, ale wróci dopiero za dwa lata, kiedy mu się skończy kontrakt, i wtedy z jego emerytury to my będziemy tak żyły. – Dziewczyna przejechała palcem po czole. – Tutaj już mamy zadatkowaną willę, gdzie się przeprowadzamy, jak on wróci. – Rozsunęła zamek kurtki i wychodząc z kawiarni, krzyknęła jeszcze: – Idę do matki, skurwielu!

Chciałam biec za nią, ale nie zapłaciłam przecież rachunku, a zresztą i tak od razu podeszła do mnie kelnerka, jakby mnie chciała odgrodzić od wyjścia.

– Strasznie nerwowe dziecko.

– Może ma powody. Skoro jest wnuczką antyterrorysty. Swoją drogą dziwne to wszystko.

Kelnerka odwróciła się, podeszła do lady, wyjęła kieliszek, nalała sobie wina, wróciła do mojego stolika.

– Mogę? – Zamglony wzrok filmowej gwiazdy, no, Greta Garbo po prostu.

Kiedy siadała na krześle, celebrując każdy ruch, przyglądałam jej się uważnie. Jej przerzedzone włosy zwisały jak stare czarne zasłonki. Z każdą chwilą nabierałam pewności: ostatni raz widziałam ją wczoraj na zdjęciu. Dziewczyna z Zagranicznymi Włosami.

– Ta mała jest wnuczką Cygana – szepnęła, pochylając się nad stolikiem. – To był taki... wie pani... cudowny mężczyzna (łyk wina)... wspaniały kochanek. Ja przepraszam, że takie intymne rzeczy mówię, ale niech mi pani wierzy, że nie ma już takich. Wszystkie dziewczyny się w nim kochały. Ale żadna nie wiedziała, że tak naprawdę my jesteśmy razem, że spotykamy się po kryjomu (papieros).

– Dlaczego nie mogły wiedzieć?

– Tam była taka głupia sytuacja (wino)... on zrobił dziecko takiej (papieros)... Basi. To była moja przyjaciółka... ona szalała za nim, narzucała mu się, no to wie pani, jak to mężczyzna, trochę z próżności, trochę z litości (papieros)... Pięknie pisał listy. Ja mam od niego mnóstwo listów. Teraz nie możemy się spotykać, bo on ma bardzo skomplikowaną sytuację, zresztą musiał wyjechać (papieros, wino).

– A gdzie jest?

Najpierw papieros, a potem długie patrzenie w okno.

– Jedno tylko powiem pani, że się o niego boję.

Wino i spojrzenie z psim smutkiem.

– Zawsze taki był. Zawsze się wdawał w najniebezpieczniejsze sytuacje.

Papieros.

– Czasem przeglądam gazety i wtedy naprawdę się boję. Ja po prostu wiem, za którą z wiadomości w gazetach, w telewizji, kryje się Cygan. I zanim dostanę od niego kolejny znak, że żyje (mgiełka w oczach)... czekam.

– Pisze do pani? E-mailem?

Podniosła jedną brew.

– Mamy swoje sposoby. To wszystko, co mogę powiedzieć.

– A ta Basia... co się z nią dzieje?

Dopiła resztę wina i wstała od stolika.

– Nie żyje. Wylew.

Gdyby ktoś teraz wszedł do kawiarni, miałby wrażenie, że znalazł się poza czasem, w poczekalni do nieba albo do piekła... Trzy milczące, zastygłe postacie. Ja za ciemnymi okularami, Paulojohn przylepiony do szyby i kobieta znieruchomiała za ladą.

Kiedy wzięłam swój kieliszek i podeszłam do stolika, ten człowiek nawet nie drgnął. Ani wtedy, kiedy bez skrępowania patrzyłam na jego profil, twarz z czerwonymi żyłkami, na sine, suche, popękane usta.

– Czy pan mnie pamięta?

Przylepił czoło do szyby.

– Mieszkałam tu kiedyś. To pana wnuczka? Tamta dziewczyna?

Wzruszenie ramion. Cisza.

– Ta, co mówiła, że jakiegoś antyterrorysty. Ale podobna do pana.

Pochyliłam się nad stolikiem, żeby go widzieć wyraźniej. Patrzył na piaskownicę, na odrapane deski, pogięte od wilgoci.

– Mam w domu papierosy. Zapraszam do siebie.

Nic. Nawet nie mrugnął. Decyzję o podróży podejmuje się czasem latami.

– Jak pan chce.

Podeszłam do baru i tak długo szukałam pieniędzy, aż usłyszałam szuranie krzesła.

Kiedy wreszcie ułożył w samochodzie długie nogi i zamarł wpatrzony w boczną szybę, ruszyłam tak nagle, jak tylko można ruszyć sportowym wozem – skręciłam w lewo, szarpiąc biegi i zostawiając ślady na jezdni. Mijaliśmy szare kamienice, szkołę, przy budce z kwiatami zwolniłam jak kierowca, który ogląda wypadek, ale nie zwrócił na to uwagi. Na parkingu telewizyjnym powiedziałam tylko: „Zaraz wrócę. Siedź tu spokojnie" – ale chyba nie słyszał.

Plastikowy zapach gmachu telewizji. Idę po błyszczącej posadzce, słyszę stukot swoich butów, mocny jak kroki dowódcy, nie zatrzymuję się nawet przy wartowniku, który wpuszcza mnie od razu, idę prosto do studia, gdzie krzątający się ludzie ustępują mi z drogi. Czas antenowy pędzi z prędkością światła. Tutaj jest tylko „teraz". Tylko tutaj jest „teraz".

Kicia, drobna, zwinna charakteryzatorka, zapłakana z powodu kolejnego mężczyzny, rzuca się na mnie z puderniczką, wspinając się na palce, kilkoma ruchami zmienia moją twarz w cementową skorupę. Światła. Kamera.

– Witam państwa i zapraszam na wieczór. Aktorka bez publiczności. Wolontariuszka. Działaczka podziemia w czasach komuny. Inna niż wszyscy, chociaż taka sama. Czy poznamy jej tajemnice? Tylko dzisiaj wieczorem. „Rozmowy z Tobą". Marianna Partyka.

Kamera odjeżdża, żegnam się z operatorem, macham do charakteryzatorki i przemierzam przestrzeń studia. Wartownik wyszedł przed budynek i gapi się na mój samochód, na Paulojohna wpatrzonego w boczną szybę. Drgnął tylko, kiedy wsiadłam do samochodu i kiedy włączyłam Beatlesów.

Mój porsche płynął jak wielka, piękna ryba, to było naprawdę niezwykłe, że jadę przez tę europejską Warszawę do mojego apartamentowca i wiozę tam Paulojohna, ja, dziewczynka w wianku z konwalii.

Właściwie nie wiem dlaczego, po zaparkowaniu otworzyłam mu drzwi i podałam rękę. W windzie rozglądał się niespokojnie.

Chyba nigdy nie widział takiego mieszkania. – Stał pośród moich białych mebli, chwiejąc się lekko, jego kurtka trzeszczała przy każdym ruchu.

– Napijesz się herbaty?

Jakbym ukłuła go szpilką.

– Mówiłaś, że masz wino.

Podszedł do barku, ale naturalnie nie wybrał wina, tylko najlepszą whisky, i nalał sobie po brzeg szklanki. Teraz się rozluźnił. Patrzyłam, jak przechadza się po mieszkaniu, oglądając wszystko, jak na wystawie mebli. Tylko obok wielkiego lustra przeszedł szybko, jakby się czegoś przestraszył.

Podeszłam do biurka, otworzyłam laptop. Na ekranie wyskoczyła pierwsza fotografia. To byłam ja na podwórku, ja odwrócona plecami, ja przed drzwiami zaplecza sklepu.

Słyszałam, jak podchodzi do mnie, zaciekawiony laptopem.

– Oglądaj, chociaż nie ma co oglądać.

Kliknęłam kolejne zdjęcie. I następne. Stał, opierając się o biurko, pochylony nade mną, z każdym następnym zdjęciem coraz bliżej ekranu.

– Nic nie rozumiem. Przysłali z redakcji, a nawet nie wiem, czy na tych zdjęciach jest chłopiec, czy dziewczynka.

– Dziewczynka.

– Naprawdę? Mnie się wydaje, że chłopiec.

– Nie. Dziewczynka.

– Tak myślisz? A to? Co tu może być?

– Drzewo...

Alkohol przejmował nad nim władzę, każde słowo wyrzucał z trudem, jakby pozbywał się ciężaru. Jego kurtka pachniała inaczej niż kiedyś – to był zapach starego zwierzęcia.

– A to? – kliknęłam na zdjęcie, na którym był fragment kwiaciarni.

Nic nie mówił. Usiłował utrzymać równowagę, wreszcie oderwał się od biurka i zdejmując kurtkę, zatoczył się na kanapę.

– Zabiłeś ją?

Z trudem otwierał powieki. Wracał z daleka.

– Nie.

– To kto ją zabił?! Kto zabił kwiaciarkę?!

– Nie... wiem...

– Ty robiłeś te zdjęcia?

Odchyliłam mu głowę do tyłu i zacisnęłam palce na włosach... Szczególna, dziwna przyjemność. Bezradna, umęczona głowa... Ile takich głów zamknął w sobie aparat Michela... Ile pogardy czułam dla oprawców, kiedy trzymali tak moją głowę... A więc tak to jest. Nagły przypływ energii. Agresja skupiona w jeden punkt. Bez miejsca na myśl.

– To ty robiłeś te zdjęcia?

– Dziewczynka – wymamrotał. – Dziewczynka z lalką.

– Gdzie mieszkała Basia?! Podaj mi adres Basi! Adres!

– Orzechowa 10 mieszkania 10.

Miał jeszcze tyle siły, by się przewrócić na brzuch i zasnąć z nosem w poduszce kanapy. Zostałam sama z pijaną kukłą Paula McCartneya. W jego kurtce było więcej życia niż w ciele, na którym nie zatrzymało się nawet światło.

Dlaczego to zrobiłam? Coś w rodzaju hipnotycznego transu. Zdjęłam ubranie, rozrzuciłam je na podłodze, włożyłam krótką jedwabną koszulę, wzięłam telefon komórkowy, położyłam się obok Paulojohna i zrobiłam zdjęcie.

– Miałeś kiedyś aparat fotograficzny?

Przerwane chrapnięcie jest jak nagły podskok.

– Co?!

– Miałeś aparat?

Powoli odwrócił do mnie głowę. Tak wybudzają się pacjenci po operacji. – Czas przeszły jeszcze nie dotarł do teraźniejszości. Pamięć nie ma siły nawet na to, żeby odtworzyć miłosną scenę.

– Aparat? Jaki aparat... – Trzeba przypominać sobie znaczenie słów, obowiązki wobec kochanki są czasem zaskakujące. – Miałem kiedyś, ale krótko. Musiałem oddać.

– Zezowatemu? – Kochanki bywają nieprzewidywalne. Orgazm rozluźnia. Najgorzej, że będzie chciała powtórki. Byle się nie ruszać – to może być źle zrozumiane.

– Po co ją fotografowałeś? O co chodziło?! O kogo?

– O brata. O jej brata.

– O Cygana?

– Tak. Cygana.

– Śledziłeś ją? Cały czas śledziłeś?

– Tak.

– Po to zamieszkałeś na Ochocie? Żeby znaleźć Cygana?

– Tak.

– A twoi kumple, ci z kawiarni... wiedzieli o tym? Wiedzieli, że fotografujesz?

– Wiedzieli.

– Po to tam przychodziliście? Żeby ją śledzić?

– Tak. Po to.

– Dlaczego?! Dlaczego się zgodziłeś? Dlaczego na to poszliście? Dla forsy? Ze strachu?

– Nie wiem. Nie pamiętam.

– No, to sobie przypomnisz.

Butelka wody mineralnej jak zawsze stała przy kanapie, ale tym razem posłużyła jako prysznic. Nie powinnam była tego robić. Zerwał się i chwycił mnie za włosy. Nie powinien był tego robić. Wbiłam mu w brzuch cieniutki obcas. Zatoczył się i upadł, zahaczając o półkę z książkami. Rozsypały się po podłodze. Zerwałam z kanapy czarną kurtkę.

– Wyrzucę, jeżeli nie powiesz.

Otworzyłam okno i trzymałam kurtkę czternaście pięter nad ziemią. Nie miał siły wstać. Podczołgał się pod ścianę i oparł o pustą półkę.

– Powiedzieli, że pomogą założyć zespół. Że wygram festiwal...

– Jaki festiwal?

– Festiwal Młodych...

– Kto zrobił zdjęcie z koncertu?

– Jakie zdjęcie?

– Zdjęcie widowni. Kto zrobił?!

– Ta szczeniara.

– Jaka szczeniara?

– Która wniosła nagrodę.

– Miała sfotografować Cygana.

Henia weszła na estradę, zawadziła o kable kamer, dostała bukiet, który zasłonił jej twarz, dostała statuetkę w kształcie smoka, kręciła się w kółko, nie widziała nic spoza kwiatów, Paulojohn do niej podszedł, dał jej mikrofon, wziął statuetkę, pocałował Henię w policzek, podniósł ją, Henia pojawiała się i znikała w błyskach fleszy... Dziennikarze otaczali ich ciasnym kołem...

„Zostałam wybrana. Wojacki przyszedł do mojego ojca. Długo rozmawiali. I potem ojciec mi powiedział, że będę w telewizji. Ja nie chciałam. Ale powiedział, że muszę".

Dlaczego Henia poszła na grób moich rodziców?

– Zabiłeś kwiaciarkę? – Potrząsnęłam kurtką.

– Nie. Nie zabiłem.

– Wstawaj.

Podczołgał się do fotela.

– Skup się. Skup się, bo wyrzucę kurtkę. Miałeś dziewczynę. Dziewczyna była w ciąży.

Zaprzeczył.

– Była w ciąży, ale nie z tobą.

Przytaknął.

– Była w ciąży z Cyganem. A Cygan był, był... kim był Cygan!?

– Szpiegiem amerykańskim. Wrogiem Polski.

– Był bratem tej dziewczynki?

– Kazali mi ją śledzić. Żeby zobaczyć, jak ona się z nim spotyka.

– A skąd wiedzieli, że się spotyka?

– Nie wiem.

Zaczęłam chodzić po pokoju w kółko, w kółko, w kółko. Znam te stany, jestem jak nakręcana zabawka, mogę myśleć tylko w ruchu.

Od dozorcy. Jasne, że od dozorcy, od ojca Heni wiedzieli. Od biednej, przerażonej Heni. Od kierownika sklepu mięsnego. Od manicurzystki. Od mamy Ani. Od Wojackiego... Aresztowali tę dziewczynę. Siedziała w szarej, wilgotnej celi, gdzie ściany mają wielkie krosty. Siedziała przy długim stole, na którym paliła się lampa, w kręgu zimnego światła zadawali mnóstwo pytań, od których jej twarz robiła się stara, zmęczona i senna. Nie powiedziała, gdzie jest Cygan. Może mówiła: „Nie wiem, nie wiem, nie wiem", i to była prawda, w którą nikt nie chciał uwierzyć, prawda jak ciężki wyrok. Potem wypytywali kwiaciarkę. Nie powiedziała. Mówiła: „Nie wiem, nie wiem, nie wiem". Zabili ją, żeby pokazać, do czego są zdolni. Mój brat rósł w ich oczach tym bardziej, im bardziej był nieuchwytny. To już nieważne, jakie mieli twarze czy nazwiska. Tamta kobieta pod gazetami, tamta skarpetka, tamta dłoń... To wszystko ja. To przeze mnie. Przez mojego brata. Przeze mnie. Przez Lucy. Ale dlaczego... Słuchaj... jeszcze tylko jedno chcę wiedzieć. Skup się. Skoro Cygan był bratem tej dziewczynki, to miał rodziców. Dlaczego nie pytali ojca, matki... dlaczego?

Pochylił głowę jak człowiek torturowany, który nie ma już siły zeznawać.

– Matka nic nie wiedziała. To był nieślubny syn tego faceta. Z Cyganką. On nie wiedział, że ma dziecko, ale do Cyganki się przyznał.

– Do jakiej Cyganki?

– Nie pamiętał do jakiej, one wszystkie podobne, przespał się z jakąś...

Z trudem utrzymywał głowę.

– Przyznał się?

– Przyznał. A tabor odjechał, i nikt już tej Cyganki nie znalazł.

Zamknęłam okno i rzuciłam kurtkę na podłogę.

Było coś jeszcze, czego nie umiałam sobie wytłumaczyć, to było niepokojące, chociaż pewnie nie miało znaczenia. Kto fotografował nocą na pustej ulicy? Trudno uwierzyć, że ten chłopak czyhał przy oknie na wypadek, gdybym zechciała wyjść w koszuli nocnej na środek jezdni. To musiał zrobić ten ktoś w samochodzie. Czy to możliwe, że wyśledzono moją walkę z oddechem, że całe to przedstawienie z oknem, z rynną, ze zgubionymi okularami - to wszystko był teatr, który miał ściągnąć mnie na dół? Gdzie byłabym teraz, gdyby żona Pisarza nie krzyknęła: „Ja go nie zabiłam"!

- Pamiętasz Kobietę Zawsze w Futrze?

Wymamrotał, nie podnosząc głowy:

- Nie. Nie pamiętam.

- Handlowała na bazarze. Zawsze w zielonym futrze. Skąd ona miała te zdjęcia? Ty jej dałeś? Dlaczego jej? Dlaczego?!

Dźwignął głowę, ale tylko na chwilę, zaraz potem podczołgał się do kanapy i jednym chrapnięciem odgrodził się ode mnie.

Naprawdę był podobny do Paula McCartneya. Dawniej tego nie widziałam - chodziło raczej o gitarę, długie włosy, zagraniczną kurtkę, o jego osobność... Ale on rzeczywiście miał trochę dziecinną twarz z małym nosem i dużymi oczami. Gdyby nie żółte, wyszczerbione zęby, siatka czerwonych żyłek na policzkach, spuchnięte powieki... Paul McCartney na miarę mojej dzielnicy...

Jak te zdjęcia trafiły do mamy Gertrudy? Co miała z tym wszystkim wspólnego? Dlaczego w jej rzeczach Gertruda znalazła stuzłotowy, znaczony banknot? Dlaczego Henia poszła na grób moich rodziców? Co wiem o wypadku, w którym zginęli?

Let me take you down,
'cos I'm going to Strawberry fields.
Nothing is real, and nothing to get hung about.

Kim była mama Gertrudy? I tak naprawdę – co mi z tej wiedzy? Była Kobietą Zawsze w Futrze. Umarła u sióstr zakonnych.

Podeszłam do biurka i odrywając kawałek po kawałku, zrobiłam ze zdjęć maleńkie szarobiałe gołębie. Cięcie kliszy na szkliste czarne płatki było nawet przyjemne. Wykasowanie zdjęć z komputera zajęło mi kilkanaście sekund. Później dziwnie spokojna, zdolna do koncentracji, siadłam przed klawiaturą.

„W środku nocy zbudził mnie krzyk, tupot nóg i łopot brezentu. Ktoś wywleka mojego strażnika z namiotu – jest jeszcze na wpół śpiący, a może już półmartwy. Jacyś ludzie podchodzą do mnie, przecinają sznury, słyszę słowa, które nareszcie rozumiem, odpowiadam po polsku, dopiero po chwili dociera do mnie, że to angielski.

Na fotografii mojej twarzy tuż przy mojej skroni widać zadrapanie – wygląda jak cień, ale to krew. Bardzo nieudolnie uwalniano mnie z więzów, nie miałam siły pomagać, zresztą nie wiedziałam przecież, czy to ratunek, czy przyspieszona egzekucja. Kiedy rozwiązano sznury, zemdlałam.

Nie pamiętam twarzy ludzi, którzy mnie odbili, i z pewnością nie poznałabym ich na ulicy. Ślepo ufałam lekarzom, którzy pracowali nad tym, żebym wykasowała ten miesiąc z pamięci. Pamiętam tylko cienie, zapachy i temperaturę powietrza. Nie. Cieni też nie pamiętam. Być może twarz na fotografii, którą zna cały świat, pamięta więcej niż ja.

Czy dobra pamięć to taka, która zatrzymuje zdarzenia, czy taka, która wybiera tylko to, co potrzebne, żeby dało się żyć? Okruchy zdarzeń, wywołane przez pamięć i wyobraźnię, dedykuję ukochanemu starszemu bratu, którego duchowa obecność pozwoliła mi przeżyć ten czas".

- Orzechowa 10 mieszkania 10. Chodźmy tam - powiedziałeś, wkładając ręce do kieszeni prochowca.

- Nie mogę, zaraz mam program, idę do telewizji.

Zamknęłam laptop. Moje ubranie, rozrzucone po podłodze, oblane wodą mineralną, nie nadawało się do niczego. Kiedy otworzyłam szafę, dodałeś jeszcze:

- Weź kostium kąpielowy.

Wąska spódnica, którą zdjęłam z wieszaka, była na mnie za luźna - czy można schudnąć w kilka godzin? Włożyłam bluzkę z białym kołnierzykiem i szpilki.

– Możesz zresztą nie brać. Chodźmy.

– Zostawimy go tak?

– On nie wie, że istnieje. Zostaw tylko muzykę.

Wyszliśmy po cichu, ostrożnie zatrzaskując drzwi.

Do programu została jeszcze godzina, ale charakteryzatorka Kicia, widząc mnie w drzwiach, spojrzała z przerażeniem na zegarek.

– Co się stało! Biłaś się z kimś?

– Tak. Biłam się – oparłam głowę o zagłówek fotela.

Uwielbiam ostatnie chwile przed programem, pustkę w głowie, rosnące zwątpienie i nagłą iluminację, kiedy rusza kamera. Kicia maluje twarze, jakby miała do czynienia z dziełem sztuki. Jest wokół jej pracy jakaś szczególna cisza niezależnie od tego, że Kicia mówi bez przerwy. Kicia ma cudowne biopole, które, zdaje się, jest jej nieszczęściem, ponieważ każdy chce się przy tym biopolu pożywić, zwłaszcza mężczyźni, którzy kręcą się koło niej jak pszczoły, ale zostają w jej życiu na chwilę, zamykają drzwi jej mieszkanka i opuszczają ją zakochaną, z pustymi butelkami po winie, zapomnianymi okularami i bagażem zwierzeń o żonach i kochankach.

Drzwi charakteryzatorni otwierają się ciągle, ktoś tu zagląda, ktoś wychodzi, ktoś wpada poprawić fryzurę - kulisy telewizji są podobne do targowiska.

Iwona, dziennikarka, zawsze maluje się sama, zawsze na stojąco, z telefonem przy uchu.

- Mamy Wałęsę na żywo? Nie, nie, ja chcę go „live", inaczej go nie chcę... Mamy Dodę i tego profesora od literatury antycznej, jak mu tam, zapomniałam. Podpytaj go o ulubiony kolor i koniecznie, czy ma zwierzaka. Jest potrzebny jakiś inteligent ze zwierzakiem, bo innych już mamy. Jak ten profesor nie ma zwierzaka, to weźmiemy Kostka Żurka, bo on ma na bank tchórzofretkę. Czekaj, czy Wałęsa ma zwierzaka?

Kicia ciągle zerka na swoja komórkę w kolorze pomarańczy. Odkąd pamiętam, jest w stanie czuwania, w nadziei, że tym razem to miłość do końca życia.

- Kiciu, zrób mnie na lata sześćdziesiąte.

- Lata sześćdziesiąte? Super. Zrobię cię na Barbitkę.

- Na Bardotkę.

- Dokładnie.

Kicia kocha wyzwania i mnie, każdego kocha, kto dzisiaj wysłucha, jak miała megaintuicję i jak odwiedził ją wczoraj Kamil Małas, reżyser serialu *Zawodowcy*. Kiedy Kamil Małas idzie korytarzem, Kicia ma pod swetrem strużkę potu od karku po nerki. Wziął od niej kiedyś numer, ale myślała, że no, wiadomo. Od każdego się bierze numer.

– A tydzień przedtem, chociaż zero przeczuć, rozmontowałam kabinę prysznicową i wstawiłam wannę za cenę tego, że będzie zero umywalki.

Kicia rusza się jak postać z kreskówki. Jest malutka i zawsze chodzi na wielkich koturnach, które ranią jej stopy.

– Nagle ktoś puka. Patrzę przez wizjer i mam odpał, bo to jest Kamil Małas. Widziałaś *Zawodowców*? Genialne to jest. Zamknij mi teraz oczka. Superlaseczka jesteś w tych rzęsach.

Dotykana przez Kicię, czuję się jak rzeźba. W każdym razie rzeźba pewnie tak właśnie się czuje.

– ...No więc on wchodzi z winem, bla bla bla, czy nie przeszkadza, i siada, i sobie gadamy, no super i bla bla bla, i on idzie do łazienki (a przedtem zero buzi), i nagle słyszę, jak on puszcza wodę. I w ogóle nic nie mówi, tylko mnie nagle woła. Otwórz mi oczka.

Otwieram oczy i widzę w lustrze Kicię, która trzyma moją głowę jak w kleszczach. Jest skupiona na mojej twarzy, ale jej drobne ciało drży.

– ...Zawołał mnie, a ja się bałam, że może chodzi o papier toaletowy, bo czasem zapominam założyć, pukam, a on, że „wejdź".

– Mam supermigawy z Iraku... – Iwona maluje lewe oko, przekładając słuchawkę z jednego ramienia na drugie - ale tego chłopaczka bez nogi wyjęłam, bo już jest szum, że mamy za dużo krwi, a nam się target przesunął na średnią krajową i musimy się złagodzić kapkę.

- Kiciu, umiesz tapirować włosy? W wysoki kok jak gniazdo?

- Nie ma problemu. Spoko. Weszłam, a on normalnie w pianie już siedzi, z rękami pod głową. I wejdź teraz do tej wanny, jak ubrana jesteś i nawet na ty nie przeszłaś.

Kicia nie lubi zdejmować spodni przy mężczyznach.

- No, ale wyjść też nie wypada, więc już...

Iwona przekłada telefon. Maluje usta z głową wciśniętą w ramię.

- A ten koleś od podatku liniowego niech spada, bo on może tylko w czasie prognozy pogody, no to to jest śmieszne w ogóle. Mam już materiał z tym tygrysem, co uciekł z klatki.

Kicia już się rozebrała i wchodzi do wanny, no i tam tego... bla bla bla... Pomarańczowa komórka aż podskoczyła. Dźwięk telefonu Kici to jest *Marsz weselny* Mendelssohna na trąbce.

- Poczekaj, może to on.

Iwona oblizuje zęby, ogląda je dokładnie, zbliża twarz do lustra.

- Ja tygrysa muszę dać. No co ty, mamy tygrysa, co uciekł z cyrku i idzie przez miasto, i mam to odpuścić?

Iwona zdejmuje rajstopy i zakłada inne. Jedną ręką.

– No to Irak przytniemy trochę i trzęsienie ziemi wywalę, bo to są tylko drgania i trochę strachu. Jak tam się ruszy bardziej...

– Nie on. To nie on dzwonił.

Powoli, dokładnie, Kicia gładzi mnie pędzlem od pudru, jakby sprzątała moją twarz. Nic już nie mówi.

Zamykam oczy.

W zieleni spalonej słońcem leży tygrys. Jego łeb widać ponad trawami, rozgląda się powoli, ziewa, patrzy w lewo, w prawo, nastawia uszu, słucha szumu wiertarki, podnosi się leniwie, rusza przez pola truskawek, ruinami miast, skrada się przez Działki, depcze trawę lśniącą od deszczu, jest coraz bliżej, patrzy mi w oczy i idzie w kierunku fotela, na którym śpię, z głową opartą o zagłówek.

– Hej! – Ktoś mnie szarpnął za ramię i zrobił to zdecydowanie za mocno.

Przede mną, w trzech lustrach, siedzą trzy Brigitte Bardot, trochę nieprzytomne, jakby ktoś je wyrwał ze snu.

– Słuchaj, czy ktoś w ogóle przyjdzie? Za piętnaście minut zaczynasz. Gdzie jest twój gość!

Za fotelem stoi Paweł, producent, jak zawsze przed programem przerażony i zdecydowany na to, żeby skończyć z moją beztroską.

– Nie bój się. Czy ja cię kiedyś zawiodłam?

A jednak to było niepokojące. Ewa powinna tu być już od pół godziny.

– Masz wiadomość. Pikało u ciebie kilka razy, ale nie chciałam cię budzić. – Kicia siedzi w kącie na stołeczku, podobna do samotnego wróbla.

Rzucam się do telefonu. Są cztery wiadomości – trzy na sekretarce.

NIE MOGĘ PRZYJŚĆ PRZEPRASZAM EWA

Nagranie jest niewyraźne, słychać ją źle, mówi bardzo cicho.

„Pani Marianno. Właśnie zmarła jedna z moich podopiecznych. Nie mogę wyjść i zostawić jej samej. Przepraszam za kłopot".

Wciskam zero, oddzwaniam natychmiast, głowę mam opuszczoną, nie chcę widzieć tych luster, nie chcę, żeby widzieli moją twarz, dopóki to się nie wyjaśni.

Abonent niedostępny.

„Kłopot". Tak to nazwała. Paweł, który stoi teraz w drzwiach, nazwie to pewnie inaczej. On ma podwójny kłopot, bo wylanie mnie z pracy będzie wspaniałym newsem, już jutro w każdej telewizji, już pojutrze w nagłówkach gazet. Nic nie mówi, tylko patrzy na zegarek. Nie podnosi oczu, nawet kiedy mówię:

– Mamy dwa wyjścia. Albo idę przed kamerę i coś robię, nie wiem – dzwonię na wizji do przypadkowych ludzi i rozmawiam z nimi, to może być nawet ciekawe, albo dajesz powtórkę. Mogłam przecież nagle zachorować.

Paweł ogląda się za siebie, jakby stamtąd miał przyjść ratunek.

– Mogłam zachorować. Jutro się wytłumaczę, coś wymyślimy.

Nie będę go przepraszać, tłumaczyć, co się stało.

– Dajemy powtórkę – mówi raczej do siebie i znika w korytarzu.

Wokół mnie, w tej klatce z luster, jest cicho jak nigdy. Kicia siedzi na stołeczku i patrzy na mnie z takim spokojem, jakby spała. Iwona stoi ze szminką przy ustach, widzę ją w lustrze, jest nieruchoma jak manekin. Patrzy na mnie, kiedy biorę torebkę, zakładam płaszcz...

– Cześć.

– Cześć.

– Cześć.

Słyszę to jeszcze, kiedy rozsuwają się szklane drzwi, kiedy przechodzę koło wartownika. W samochodzie jest cicho, jakbym przeniosła tutaj tamto powietrze. Na ulicach nie ma nikogo, we wszystkich oknach widać niebieskie światło ekranów. Czuję bezwład mojego samochodu – jakby się na mnie obraził. Jedziemy przez miasto, omijając przecznicę, która prowadzi do apartamentowców, jedziemy znaną drogą, obok szkoły, obok budki z kwiatami, jedziemy, milcząc jak stare małżeństwo. Wychodząc, trzaskam drzwiami.

Filtrowa rozjaśnia się punkt po punkcie, jakby ktoś szedł przez mieszkanie i zapalał światła. Idę pustymi ulicami obok zamkniętych sklepów. Trudno to zrozumieć, a jednak naprawdę nic nie przybyło oprócz domofonów przy bramach i nawet nudne sukienki w witrynie sklepu po schodkach są podobne do tamtych.

Idziesz tuż obok z rękami w kieszeniach prochowca. Dokąd mnie prowadzisz? Latarnie ze zwieszonymi głowami, stare panny z żelaza, są tutaj ciągle i pewnie wiedzą najwięcej. Z wysokości ich głów budkę z kwiatami na rogu Filtrowej i Niemcewicza widać przecież wyraźnie.

Chmury zbijają się w czarne kłębowisko. Po co prowadzisz mnie do fontanny? Kiedy poczułam na twarzy kilka kropel, myślałam, że to deszcz.

Szara kamienna kobieta z naczyniem wzniesionym w górę ma nieduże piersi, okrągły brzuch i ściśnięte uda. Na te uda leci strużka wody i spływa po szarych nogach. Kamienna kobieta z naczyniem wzniesionym w górę jest stara.

– Odwróć się.

Jesteś moim bratem, ale poznałam cię jako dorosłego mężczyznę, więc rozbieranie się przy tobie mnie krępuje. Nie wzięłam kostiumu kąpielowego, zresztą, przecież one nie miały żadnych kostiumów.

– Zimno. – Stojąc nago na kamiennym murku fontanny, zanurzyłam stopę w czarnej, lodowatej wodzie. Fontanna jest malutka jak sadzawka. Jak to możliwe, że te dziewczyny tu pływały?

KILKA SŁÓW O TYM, CO MYŚLI CZŁOWIEK PRZY OKNIE

Jesterdej...

Mimo bólu, który rozsadza głowę, starał się zrozumieć, jakim cudem znalazł się na środku rzeki. Z całą pewnością przyjechał tu windą, to pamięta dobrze, jeszcze czuje ten popłoch, kiedy zatrzaśnięto go w wąskiej klatce. Ale jak dotarł do rzeki? Zawsze dobrze wiosłował. To jedna z niewielu rzeczy, jakie umiał robić, a teraz nie może ruszyć żadnym z wioseł, pewnie dlatego, że rzeka jest gęsta od setek żółtych kwiatów. Z uporem wbija wiosła w te kwiaty, ale ciągle wyrastają nowe, w dodatku niebo nabrało koloru marmolady i nie wiadomo, czy to oznacza nadejście deszczu, czy upał. Nagle na brzegu dostrzegł taksówkę zrobioną chyba z gazety. Wysiadła z niej dziewczyna ze słońcem w oczach.

– Nazywam się Lusi – mówi.

Lusi in de skaj łit dajmonds.

✦

Jeszcze nie padało, jeszcze tylko powietrze gęstniało od wilgoci, ale moje ubranie już pachniało burzą. Ogrodowa 10 to jedna z trzypiętrowych kamienic ogrodzonych siatką, porośnięta dzikim winem. Domy upodobniły się do willi i chociaż mieszkali tu zwykle ludzie niezamożni, robiły wrażenie ekskluzywnych. Nacisnęłam guzik domofonu.

– Słucham? – Głos kobiety był niepewny, trochę spłoszony.

– Dzień dobry, nazywam się Marianna Partyka. Bardzo przepraszam, że bez uprzedzenia, ale chciałabym wejść na chwilę, to jest sprawa sprzed lat, bardzo ważna, i jeśli się pani obawia, mogę poprosić dozorcę, żeby wszedł ze mną, albo...

– Magda panią zna? Bo... Proszę, niech pani wejdzie.

Weszłam na niewielkie, zadbane podwórko typowej spółdzielni, znów nacisnęłam guzik domofonu, drzwi odpowiedziały brzęczącym sygnałem. Na wąskiej klatce schodowej, jak w obskurnej dyskotece, każdy schodek był pomalowany na inny kolor, na ścianach wisiały podarte plakaty zespołu Rękaw Wariata – czterech chłopaków z wilczymi kłami.

– Bez obaw. W mieszkaniu jest już normalnie.

Nikłe światło co chwila zapalało się i gasło. Pewnie dlatego do ostatniej chwili wydawało mi się, że to złudzenie, że osoba, która stoi na klatce, to Ewa. A jednak już w drzwiach nie miałam wątpliwości.

Zresztą ona też patrzyła na mnie jak na dziwadło – zupełnie zapomniałam, że wyglądam jak Brigitte Bardot.

– Jeszcze raz przepraszam za tamto, ale jestem pewna, że pani rozumie. Umarła zresztą spokojnie. Musiałam z nią pobyć, pomodlić się, pani przecież też by nie poszła do telewizji w takiej sytuacji, prawda? A teraz już przyszłam tutaj, od roku opiekuję się panią Magdą – weszłyśmy na wąski korytarz, duszny od zapachu lekarstw – tylko proszę, niech to nie trwa długo. Ona bardzo szybko się męczy.

– Tak, oczywiście. Chcę tylko chwilę porozmawiać.

– Porozmawiać? Jak to porozmawiać?

– No, po prostu zamienimy kilka słów. To wszystko.

– Pani... pani nie jest, zdaje się, dobrze zorientowana... – mówiła dalej, ale wyminęłam ją i weszłam do pokoju.

KILKA SŁÓW O TYM, CO MYŚLI CZŁOWIEK PRZY OKNIE

Pikczer jor self in e bołt on e riwer
Łit tandżerine tris end marmolejd skajs
Szi laws ju je je je...

Chciał się poruszyć, ale okazało się, że jest przykuty do rzeki ciężkimi łańcuchami.

✦

Na wąskim łóżku leżała chuda kobieta z głową owiniętą bandażami. Oczy miała nieobecne, usta lekko wykrzywione. Obok stała kroplówka, z plastikowej butelki przezroczysty płyn kropla po kropli spadał do plastikowej żyły.

– Niech pani mówi głośno i wolno, ale bez przesady. Pani Magda rozumie, tylko wszystko do niej dociera z opóźnieniem. Jeśli pani chce, mogę być tłumaczem, chyba że to coś osobistego, ale naprawdę może mi pani zaufać.

Podeszłam bliżej i siadłam na brzegu łóżka. Córka Paulojohna. Duch śmiertelnej choroby zabiera twarzom ich właściwości i nadaje swoje – delikatną, liryczną nieobecność. Twarz córki Paulojohna była właśnie taka. Kiedy dotarł do nas pierwszy odgłos burzy, źrenice kobiety nieznacznie się poruszyły.

Nie miałam pojęcia, co robić, co mówić. Po co tu właściwie jestem. Chciałam zobaczyć córkę Paulojohna. Córkę mojego brata. Twoją córkę. Ale po co? Co to da właściwie, że powiem: „Cygan, za którego twoja matka poszła siedzieć, w ogóle nie istniał?".

– Czy... czy pani Magda ma kogoś... jakąś rodzinę, czy oprócz pani ktoś się nią opiekuje?

– No, nie bardzo. Ma córkę, córka się stara, tylko... – Ewa zwróciła się do chorej. – Będę mówiła szczerze, ktoś musi wiedzieć, jak jest, a chyba lepszej osoby już pani nie znajdzie. Ta mała jest... ma jakiś poważny problem ze sobą, ambicje niewspółmierne do możliwości.

– A ojciec?

– Wyjechał do Stanów zarobić pieniądze i nie wrócił. Ma tam rodzinę, dzieci, ze wstydu znienawidził i panią Magdę, i córkę. Ja tu jej pilnowałam, żeby zawiadomiła go o chorobie matki, przy mnie nagrała się na sekretarkę i nic. Milczenie.

– Może jego żona i dzieci nie rozumieją po polsku, może sam tego nie odsłuchał?

– Może. Niestety, Zuza jest słaba w angielskim, prawdę mówiąc, po prostu nie ma zdolności w żadnym kierunku. Pani Magda za to jest poliglotką, pracowała przy słowniku polsko-norweskim, no ale...

Obie spojrzałyśmy na łóżko i pewnie obie pomyślałyśmy o tym, że w głowie tej nieobecnej kobiety żyją tysiące myśli, kiedy Ewa powiedziała: „Ta dziewczyna ciągle jeszcze żyje mitem jakiegoś dziadka". Nie zapytałam o nic, bo właśnie skończyła się kroplówka, zamiana butli trwała długo, za długo jak na moją cierpliwość.

– Jakiego dziadka?

Musiała uznać, że moje pytanie jest zdawkowe, bo skupiona na regulowaniu kroplówki, mruknęła tylko:

– A nie wiem, czy ze strony ojca, czy matki, jakiś kuzyn chyba, nazywają go Cygan, i to jest taki rodzinny mit, jakieś wielkie zasługi, ona mówi, że listy od niego dostaje, że on niedługo przyjedzie... ale moim zdaniem to on jej te ambicje zaszczepił. Taki bohater w rodzinie to czasem nieszczęście.

Ewa spojrzała w okno na ciemniejące niebo.

– Gdybym tylko wiedziała, jaka jest prawda, to bym znalazła tego człowieka i może by zaczął się interesować dzieckiem. – Ewa usiadła na krześle. – Ja myślę, że ona się bardzo boi przyszłości. Bardzo. Ciągle się dręczy, co będzie, kiedy jej zabraknie i córka zostanie sama.

Dotknęłam dłoni na zmiętej kołdrze. Poruszyła się i leciutko zacisnęła na moich palcach.

– Właśnie po to tu przyszłam. Musimy porozmawiać o przyszłości.

– O Boże – pierwszy raz zobaczyłam uśmiech Ewy i jej rzeczywiście „niefilmowe" zęby. – Napije się pani herbaty? Właśnie zrobiłam. – Podniosła szklankę ze stolika.

– Nie. Dziękuję. – Przysunęłam się bliżej i otoczyłam palcami chłodną dłoń. – Nie wiem, czy pani mnie pamięta, ale ja jako dziecko mieszkałam na Filtrowej. Przyszłam tu, bo jest coś, co nas łączy. Krótko mówiąc – jesteśmy rodziną.

Kilka kropli herbaty spadło na kołdrę.

– Jestem siostrą Cygana.

Oczy kobiety nie zmieniły wyrazu, ale dłoń zesztywniała, jakby umarła na chwilę, osobna, zimna, obca.

– On jest teraz w służbach specjalnych i nie może przyjechać, nie może się ujawnić. Zawsze był taki, zawsze w podziemiu, zawsze tam, gdzie trzeba szaleńców. Kontaktuje się tylko ze mną i właśnie niedawno prosił, żebym panią znalazła, żebym dowiedziała się o małą. Tak o niej mówi. Zawsze tak o niej mówił i nawet pani nie wie, czym było dla niego to, że nie może jej zobaczyć... - Pochyliłam się nad nią. Zawsze wyczuwam aurę ciał, ten niewidzialny kokon, przestrzeń prywatną i niepowtarzalną. Ciało tej kobiety nie miało już aury. - Ja wiem, co pani przeszła. Mój brat też wie, ale nie wolno mu było dać znać o sobie. Kiedyś zostałam porwana... nawet mnie nie mógł pomóc. On idzie tylko tam, gdzie go kierują, należy do szczególnej formacji, jest ich pięciu na świecie. Tyle tylko mogę pani zdradzić.

- A może on się jednak z nią kontaktuje, bo Zuza mówiła przecież prawie to samo, co pani.

- Może. Nie wiem. Wiem tylko, że brat prosił, żeby powiedzieć, że będzie pomagał wam, jak tylko możliwe. Że gdyby... gdyby pani się... coś...

- Proszę o tym mówić zwyczajnie. Pani Magda jest umierająca. - Szklanka z herbatą stanęła na stoliku. - I dobrze o tym wie. Nie boimy się tego, prawda? Boimy się tylko o przyszłość Zuzy. Tylko o to.

- No więc proszę się nie bać. Zuzą zaopiekuje się mój brat, a raczej ja w jego imieniu. Taką mamy umowę, taką przysięgę złożyłam mu niedawno. Możemy nawet... Możemy nawet spisać dokument, że przekazuje pani opiekę nad córką...

- Dziadkowi...

– Nie, może nie dziadkowi, ale mnie. Naprawdę nie wiem, kiedy brat wróci, nikt nie wie, a ja jestem na miejscu.

– Myślę, że to, co pani mówi, wystarczy. W końcu zadała sobie pani ten trud, znalazła ją pani, chyba nie po to, żeby powiedzieć coś, co nie jest prawdą. Nie wyobraża sobie pani, czym jest dla pani Magdy...

– Wyobrażam sobie. Pewnie nie ma nic gorszego niż lęk o dziecko. Nie wiem, nie mam dzieci. To znaczy... teraz już mam. Czy paniom czegoś potrzeba? Proszę podać jakąś sumę, brat jest człowiekiem zamożnym, upoważnił mnie, żebym dbała o panią Magdę i jej bezpieczeństwo finansowe. Proszę się nie krępować.

– Czy ja wiem? Właściwie wszystko mamy. Naprawdę nie potrzeba wiele, może... ja często myślę o pogrzebie pani Magdy, niech pani nie szokuje, że mówimy przy niej, ale myślę, że ona się tym może przejmować, takie sprawy są drogie...

– Brat weźmie to wszystko na siebie. Proszę się tym nie martwić.

Patrzyłam na tę kobietę, na głowę owiniętą bandażami, w której zamieszkał mój brat, i chyba wtedy powstał ten plan – zobaczyłam to wszystko jako jedyne wyjście, ratunek dla siebie i wnuczki Cygana, która postanowiła być kimś innym, niż jest. Szybko zerwałam się z łóżka. Za szybko.

– Muszę już iść. Przepraszam, ale muszę. Jeśli można prosić o numer telefonu...

– Tak, oczywiście, zaraz podam i tutaj, i do mnie. Proszę dzwonić o każdej porze.

– Dobrze. Dziękuję. – Jeszcze na korytarzu chciałam spytać, na co właściwie jest chora ta kobieta, ale Ewa delikatnie wypchnęła mnie za drzwi.

Idąc koło Filtrów, minęłam swój samochód.

KILKA SŁÓW O TYM, CO MYŚLI CZŁOWIEK PRZY OKNIE

Sadenly ajm not haf de men aj just tu bi
Thers e szedoł...

Kiedy otworzył oczy, zobaczył na suficie nieznany sobie abażur. Delikatny jak bańka mydlana huśtał się na cienkiej nitce w rytm

Strołberi filds forewer
Let mi tejk ju dałn...

To oczywiście sen, bez akcji, same tylko luksusowe meble i ból głowy. I jeszcze ze ściany patrzy przestraszona, chuda kobieta.

Koz ajm gołing tu strołberi filds

To wcale nie śpiewa w głowie, to śpiewa lampa albo coś tu, w pokoju. We śnie nie jest łatwo podnieść się z kanapy.

Szi laws ju je je je – żyrandol zmienił piosenkę na jego ulubioną. To miłe.

Próbuje złapać równowagę, staje na rozkraczonych nogach, jak wtedy, kiedy jeszcze miał gitarę.

Szi laws ju je je je

Dłonie śmigają po strunach: w górę, w dół, w górę,

w dół, głowa tańczy osobny taniec, siwe włosy szaleją.

Szi laws ju je je je

Wysunął nogę w bok.

Szi laws ju je je je
Szi laws ju je je je
Strołberi filds forwer
jesterdej ol maj trabls simd soł farełej
Lusi in de skaj...
Łi ol liw in de jeloł sabmarin
Jeloł sabmarin jeloł sabmarin

Silny ból między żebrami, jak pchnięcie nożem, był tak nagły, że najpierw poczuł zdziwienie.

✦

W ciemności niełatwo było odnaleźć bramę Działek, ale to i tak nie miało znaczenia. Brama była zamknięta. Zielona siatka zachwiała się pode mną, bałam się tylko jakiegoś alarmu, ale na szczęście nic się nie zdarzyło prócz tego, że spódnica rozdarła mi się do połowy uda. Zeskoczyłam, padając na kamień - poharatał mi kolano i rozerwał rajstopy. Trzymając buty w rękach, ruszyłam prosto oświetloną aleją. To ty kazałeś mi wrócić po Lucy. Jakby w moim planie była luka, jakby potrzebny był jeszcze jakiś znak szaleństwa. Nie zgadzam się z tobą: mój plan powrotu do siebie był całkiem trzeźwy i miał wszystkie cechy zdrowego rozsądku, a jednak szłam za twoim głosem, jak zawsze.

Łen ajm siksti for...

Kiedy kładł się na kanapie, miał wrażenie, że stoi obok i opiekuje się sobą jak chorym. Że to on kładzie swoje długie ciało, ostrożnie, czule, nogi, tułów, głowę... Ból ściskał żebra i zamykał jak bramę.

Łen ajm siksti for

Biały żyrandol, lekki jak duch piłki kołysał się w rytm tej piosenki.

Łen ajm siksti for

Biały żyrandol lekki jak duch piłki był ostatnią istotą, jaką zobaczył, zanim podjął decyzję.

Let mi tejk ju dałn

Pola Truskawkowe. Odetchnął głęboko. Taki oddech przytrafił mu się pierwszy raz od lat.

✦

Wiedziałam, że trzeba sforsować jeszcze jedną kratę, ale odruchowo dotknęłam furtki. Uchyliła się od razu. Gałęzie drzewa opadały do ziemi, Lucy siedziała pod zielonym parasolem wpatrzona przed siebie, z rękami wyciągniętymi do przodu. Chciałam podbiec do niej, ale nie mogłam się ruszyć. Niebo było dziwnie blisko, jak kawałek ciemnej szmaty. Czułam czyjąś intensywną obecność, w tej ciemności była jakaś nisza, zakątek, gdzie ktoś oddychał cicho, jak zwierzę przed skokiem. Poczułam, że stoję na czymś mokrym i miękkim jak dywan. Zielone futro było ciężkie od wody, jednak podniosłam je i zarzuciłam na siebie, a potem ostrożnie podeszłam do drzewa i chwyciłam Lucy. W jej pustym ciele coś zagrzechotało, wyglądała jak nieprzytomna z tymi oczami wpatrzonymi w skraj dachu. Człowiek o Oczach Płynących w Różne Strony trzymał w rękach lunetę zwróconą w niebo. Uciekałam z Działek jak przerażone dziecko. Nie wiem i nie chcę wiedzieć, czy ktoś mnie widział, mijał mnie na ulicach. Nie miałam odwagi wejść do swojego porsche, po prostu nie był mój, nie mógł należeć do osoby, którą teraz byłam. Wychodząc z windy, dziękowałam Bogu, że mam przy sobie torebkę, że nie zostawiłam jej w tym galopie, że mam klucze do domu, gdzie znajdę się za chwilę i wezmę gorący prysznic. Podniosłam głowę. Przed drzwiami stał Michel.

Tylko w marzeniach miałam przed oczami ten obraz. Michel przed moim domem, z bukietem białych kwiatów. Konwalie to były nasze kwiaty, zawsze czekając na lotnisku miał w ręce bukiet konwalii. A jednak naprawdę tu był. Stał przede mną z opuszczonym bukietem kwiatów, jakby uszło z nich całe powietrze. Widywał mnie w różnym stanie – bywałam osmalona dymem, obryzgana błotem, głodna, spragniona, omdlała, ale jeszcze nigdy nie miałam na sobie zatęchłego futra, nie tuliłam do siebie starej lalki, nie miałam bosych stóp i rozerwanych rajstop, rozciętej wargi i włosów jak rozwichrzona wierzba... Oślepił mnie błysk flesza.

– Wejdź.

Stanęliśmy w drzwiach salonu, obok siebie, a jednak bardzo daleko. Na podłodze, pośród rozrzuconych książek, leżała sukienka i czarna skórzana kurtka. Pod biurkiem poniewierały się koperty i podarte fotografie. Na kanapie spał Paulojohn, nieruchomy jak kukła.

Michel chciał chyba coś powiedzieć, ale nie umiał znaleźć słów.

– Dlaczego nie robisz zdjęć? – mruknęłam, podchodząc do biurka. – Masz materiał na parę nagród.

Położył kwiaty na podłodze. Odszedł tak cicho, jakby to był mój pogrzeb.

Zamknęłam okno. Podniosłam z ziemi kurtkę.

– Wstawaj.

Sanitariusze patrzyli na mnie z niezdrową ciekawością. Jeden chciał prosić o autograf, ale były kłopoty z umieszczeniem długiego ciała w plastikowym worze.

– Nie wiem, nie wiem, nie wiem – odpowiadałam lekarzowi, który stwierdził zgon w wyniku zawału. Nie znam rodziny, nazwiska, imienia. Lekarz wyglądał na speszonego, sama musiałam tłumaczyć, że ten człowiek przyszedł do mnie..., że go zaprosiłam, że siedział w kawiarni Halinka, nie miał papierosów...

Lekarz musi zawiadomić prokuraturę. Rozumiem.

Sanitariusze chichotali cicho, kołysząc Pauljohna nad podłogą. Bardzo fachowo wsunęli nosze w drzwi.

– Żeby taka kobitka nie mogła znaleźć lepszego...

– To mój brat.

Stanęli na klatce schodowej, obaj z bardzo głupimi minami. Wyglądali jak Flip i Flap. Trzasnęłam drzwiami.

„Okruchy zdarzeń, wywołane pamięcią i wyobraźnią, dedykuję ukochanemu starszemu bratu".

Kiedy zaznaczyłam cały tekst, nic nie mówiłeś, tylko stałeś z rękami w kieszeniach prochowca.

– Pomóż mi. Starsi bracia są po to, żeby pomagać.

Wcisnęłam „enter". Tekst książki zniknął.

KONIEC TEJ HISTORII

Mój wydawca nie okazał litości. Zresztą wcale się nie dziwiłam. Zażądał zwrotu zaliczki w podwójnej wysokości, jak było zapisane w umowie. Jakiś czas rozważałam zaciągnięcie kredytu.

Na pogrzebie Magdy jej córka Zuza cały czas patrzyła uporczywie w kierunku bramy, jakby na kogoś czekała. Wpatrywała się też w grupkę ludzi zgromadzonych przy trumnie, ale stało tam tylko kilka kobiet. Jedynym mężczyzną był Człowiek o Kwitnących Kulach. Została sama z poczuciem, że musi być kimś jak mój brat Cygan. Wracając z pogrzebu, postanowiłam sprzedać apartament i spłacić zaliczkę. Potem zamieszkałam u Zuzy.

– Jestem nikim – mówię jej każdego ranka zamiast dzień dobry.

– Jesteś szurnięta – odpowiada mi codziennie.

Jestem szczęśliwa. Jestem szczęśliwym nikim.

– Skąd ja ją znam? Gdzie ją widziałem? Gdzieś na pewno, ale... – odkąd przed kawiarnię wystawiono parasole, codziennie widzę, jak ludzie szepczą sobie do ucha te krótkie pytania.

Nie patrzę na nich, siedzę z Lucy przy swoim stoliku pod oknem i piję herbatę.

Odkąd zrobiono tu podjazd, przyjeżdża do nas Gertruda. Nie może zrozumieć, że pogodziłam się z sytuacją, że nie walczę o pozycję, na którą zasługuję. Jej córka Paula zajmuje się teraz ochroną żółwi na jakiejś greckiej wyspie.

– Co z nią będzie? – zapytała mnie kiedyś. – Czy będzie szczęśliwa?

– Nie martw się o nią. Odkryje jakąś ekologiczną aferę, wygarnie wszystkim, co o tym myśli, wywoła konflikt, być może na skalę światową, na chwilę zyska podziw, ale w istocie wszyscy, nawet ci, którym uratowała honor, będą starali się jej pozbyć. Kolejny raz w życiu straci wszystko, ale nie będzie nieszczęśliwa. Po prostu pójdzie dalej. Nie zdziw się, jeśli po głośnym sukcesie znajdzie swoje miejsce na przykład w sklepie z pieczywem. Ona spędzi życie tylko na jednym.

– Na czym?

– Na nieustannej próbie zrozumienia siebie. Wszystko, co zrobi, będzie służyło tylko temu. Tak już jest.

Gertruda jak zawsze patrzyła na mnie z niedowierzaniem, mając w oczach nieodłączne pytanie:

– Czy to, co mówisz, nie dotyczy wszystkich?

– Dotyczy tych, których istnienie jest intensywne nawet wtedy, kiedy są nieobecni.

Czasami dosiadają się do nas Człowiek o Kwitnących Kulach i Piotruś.

Na pogrzebie Paulojohna była jeszcze Dziewczyna o Zagranicznych Włosach. Kiedy trumnę spuszczano w dół, Zuza wzięła mnie za rękę.

Co do mnie, żyję z wypożyczania Lucy.

Było tak. Ewa dostała rolę w serialu. Jej zmęczona twarz okazała się idealna dla postaci z życia i Ewa zyskała niebywałą popularność. Kiedyś przyprowadziła do kawiarni reżysera. Zobaczył Lucy, siedzącą jak zawsze na krześle, i nie mógł oderwać oczu od jej twarzy. Dostała rolę starej lalki ze śmietnika - powierniczki bohaterki serialu w chwilach samotności i smutku. Stała się tak sławna, że wkrótce zgłosił się do mnie wybitny rzeźbiarz montujący na wystawę nową instalację - Lucy z pokiereszowaną twarzą miała być centrum konstrukcji. W zamian za lalkę proponował ogromne sumy, ale oczywiście nie zgodziłam się na sprzedaż, tylko na wypożyczenie. Lucy pojechała do Ameryki. Instalacja odniosła wielki sukces i wciąż krąży po różnych krajach. Wypożyczam więc Lucy i martwię się, że po każdym powrocie z coraz większym trudem otwiera oczy. Ale nieźle nam się żyje. Naprawdę nieźle.

Któregoś dnia po powodzi, w której wielu ludzi straciło swoje domy, zaproponowano, żebym oddała Lucy na aukcję na rzecz powodzian.

Z powodu jej sławy spodziewano się wielkich wpływów.

Muszę to zrobić, Lucy. Muszę zrobić cokolwiek, co odkupiłoby moje winy. Jakkolwiek na to patrzeć, faktem jest, że zamordowałyśmy starą kwiaciarkę. Ja, mój starszy brat Cygan i w jakimś sensie ty. A winna jest twoja skóra, pachnąca zagranicą.

Na aukcji były tłumy. Lucy siedziała pośrodku jako szczególny fant, atrakcyjniejszy niż niejedno dzieło sztuki. Zaczęła się licytacja, suma rosła zawrotnie, budząc ducha rywalizacji nie tylko wśród obecnych. Licytowano za pomocą esemesów, przez internet, dzwoniąc do telewizji i radia. W końcu za Lucy z pociętą twarzą, w podartym wyleniałym płaszczu, dałoby się postawić nowy szpital. Licytację zamknęła kwota nie do przebicia – padła ze środka sali, gdzie siedział ktoś, kto dotąd nie brał udziału w przetargu. Odszedł szybko, nie odpowiadając na pytania, i – jak mówiono – wsiadł do najnowszego modelu mercedesa.

Po aukcji nie mogłam nawet wejść do tramwaju. Błąkałam się po ulicach, aż wreszcie weszłam do kawiarni, żeby pomilczeć o tym wszystkim z Piotrusiem, z Gertrudą i z Człowiekiem o Kwitnących Kulach. Podchodząc do stolika, zobaczyłam na nim coś białego, coś z innej materii niż filiżanki i kieliszki. Na stole siedziała Lucy z karteczką na szyi: „Jestem chłopakiem z drugiego podwórka. Wykupiłem Lucy, bo byłem to pani winien".

Lubię swoje życie. Lubię wracać klatką schodową oblepioną zdjęciami szczerbatych gitarzystów. Lubię chodzić do kiosku. Co miesiąc kupuję dziesięć kartek z kobietą w zielonym futrze i napisem „Warszawa". Adresuję je do Anny Fischer, Gertrudy Bartoszek, do Heni, Zuzy, Piotrusia, kobiety zza baru, Pauli, Michela i do siebie.

Pozdrawiam serdecznie, jestem z Wami i nigdy o Was nie zapominam.

Cygan

Wrzucam kartki do skrzynki, a potem idę do kawiarni, gdzie jak zawsze czekają na mnie wszyscy. Ale dzisiaj ich milczenie jest dziwne. I bardzo uroczyste.

– Przyszedł do ciebie list – mówi Zuza, pokazując wytworną kopertę z tłoczonymi inicjałami.

Dziwi mnie, że jest otwarty.

– Otworzyłam – wzrusza ramionami – myślałam, że to coś ważnego. Przecież nikt już nie wysyła listów. Dałam do przetłumaczenia Gertrudzie.

Gertruda nic nie mówi. Patrzy na mnie z głupawym wyrazem twarzy.

– Jak mogliście otworzyć mój list!

Nie odpowiadali. Siedzieli z otwartymi ustami jak dzieci, które wysłuchały bajki.

Wzięłam do ręki białą kartkę. Pachniała zagranicą i świeżym drukiem. Kiedy czytałam, patrzyli na mnie, jakby go znali na pamięć.

Szanowna Pani!

Z wielką radością pragnę zawiadomić, że 20 maja odbędzie się koncert charytatywny z okazji światowej konferencji w sprawie zwalczania terroryzmu. Mam zaszczyt być wykonawcą na tym koncercie. Pani Anna Fischer, która konferencję zorganizowała, zobowiązała mnie do osobistego zaproszenia Pani, co czynię z wielką przyjemnością, tym bardziej że Pani losy są ze mną w pewnym sensie powiązane. Kilka lat temu Pani Anna poinformowała mnie w tajemnicy, że dochód z moich koncertów charytatywnych, organizowanych na rzecz walki z terroryzmem, przeznaczony został na pomoc w ujęciu oprawców, którzy więzili Panią, czemu ze zgrozą przyglądał się cały świat. Ja też śledziłem bieg wydarzeń, myśląc o Pani i modląc się za Panią. Z tym większą radością przyjąłem fakt, że mogłem się na coś przydać – a jeśli nie ja, to przynajmniej moja muzyka.

Po koncercie odbędzie się kameralny obiad, na który też gorąco Panią zapraszam, bo wielkim zaszczytem będzie dla mnie poznanie tak niezwykłej osoby.

Pani Anna zobowiązała mnie również, żebym zaprosił Pani brata, o którym opowiadała mi wiele; będę zaszczycony, mając okazję poznania człowieka, z którym wiąże ona tak żywe nadzieje. Dołączam więc zaproszenie na dwie osoby oraz prośbę o potwierdzenie rezerwacji biletów na 20 maja. Wszelkich informacji udzieli Pani mój agent, którego adres e-mailowy znajdzie Pani na wizytówce.

Pozdrawiam bardzo serdecznie i z radością czekam na spotkanie.

Ukłony –
Paul McCartney

Piotruś pociągnął nosem i otarł łzę.

– Usmarkałem się jak prosię w ulewę.

– ...Przepraszam... czy to pani? – kobieta, która podeszła tutaj, zbierała się do tego już od jakiegoś czasu. Widziałam, jak szeptali z mężem i popatrując na mnie, zakładali się chyba ze sobą, czy ja to ja. Odpowiedziałam:

– Nie. To nie ja.

Odeszła zadowolona, a my zostaliśmy sami z tym listem na stoliku.

– Dzisiaj jest piąty maja – odpowiedziała Getruda. – Jedziesz za dwa tygodnie. To znaczy jedziecie.

– Musisz zadzwonić do brata. Najlepiej zaraz – szepnął Piotruś, patrząc na moją komórkę.

Zaraz zadzwonię. Zadzwonię do ciebie i powiem, że mamy zaproszenie od Paula McCartneya, wysłucham twojej odpowiedzi, potem wyłączę telefon i odwrócę się w stronę szyby.

Cisza starych podwórek. Trochę kościelna. Pamiętasz? Właściwie tylko mury dookoła, a jakby ktoś cały czas patrzył. I wszystko słychać – ktoś kaszlnie, coś skrzypnie, ktoś trzaśnie drzwiami: niby nic, ale tak się to jakoś odbija od tych murów, tak się zwielokrotnia, jakby chodziło o coś więcej niż o codzienne życie. A chude gołębie o przerażonych oczach? Pamiętasz?

SPIS ROZDZIAŁÓW